An-Dominique Schmidt · Ich hör’ den ganzen Tag Musik

„Dieses Buch habe ich von meinen Schülern gelernt.“
Arnold Schönberg

An-Dominique Schmidt

Ich hör' den ganzen Tag Musik

Ein Handbuch für private Klavierlehrer

Hinweis der Redaktion

Wir verwenden geschlechtergerechte Sprache! Das haben wir schon immer so gehandhabt, auch zu Zeiten, in denen es noch keine Debatten über die deutsche Grammatik gab. Deshalb verwenden wir das generische Maskulinum, denn es schließt alle angesprochenen Menschen ein. Die Bürger von Deutschland mögen die verschiedensten Geschlechter besitzen, das grammatische Geschlecht ist jedoch immer maskulin. An dieser Stelle unterstellen viele – leider auch viele Kollegen, die es besser wissen müssten –, das grammatische Geschlecht spiegele das biologische Geschlecht wider. Das ist falsch. In der Grammatik und in der Biologie wird dasselbe Wort für die Typisierung unterschiedlicher Sachverhalte verwendet. Wer nun beides in einen Topf wirft und Unterschiede negiert, handelt aus Unwissenheit oder verfolgt ideologische Interessen. Zum Schluss noch: Wir verwenden übrigens auch das generische Femininum.

AMA Verlag GmbH
Postfach 1168
50301 Brühl
Deutschland

info@ama-verlag.de
ama-verlag.com

Umschlaggestaltung:
Redaktion: Harald Wingerter
Gesamtherstellung: Detlef Kessler

ISBN 978-3-89922-307-1
ISMN 979-0-50155-262-7
AMA 610574

Die Deutsche Nationalbibliothek verzeichnet diese Publikation in der Deutschen Nationalbibliografie; detaillierte bibliografische Daten sind im Internet über http://dnb.dnb.de abrufbar.

Vorwort

Klavierlehrer gibt es seit dem 17. Jahrhundert, in dem das Klavier erfunden wurde. Nun gehörst du auch dazu, nach vier Jahren Studium an einer der 24 deutschen Musikhochschulen und dem „Bachelor Klavier“ in der Tasche. Jetzt musst du den Beruf nur noch in die Praxis umsetzen.

Am gemütlichsten wäre natürlich eine Stelle mit Bezahlung nach gewerkschaftlich ausgehandeltem Tarif des Öffentlichen Dienstes an einer Kommunalen Musikschule. Gibt es dort freie Vollzeit-Stellen? Vergiss es! Weniger als die Hälfte aller 52.000 deutschen Musikpädagogen werden nach Tarif bezahlt (statistisches Bundesamt 2017) und deren Arbeitsplätze sind überall besetzt. Höchstens Stundenverträge sind noch an den Kommunalen Musikschulen zu ergattern, aber diese – vornehm „Honorarkräfte“ genannten – Lehrer verdienen pro Stunde am Klavier nicht mal die Hälfte der Festangestellten. Noch weniger können in der Regel die kleinen privaten Musikschulen in den großen Städten zahlen.

Es bleibt nur ein Ausweg, wenn du einigermaßen anständig davon leben willst, das weiterzuvermitteln, was du liebst, nämlich die Klaviermusik: Privatmusiklehrer! Der Bedarf ist da, in Deutschland stehen einer Studie zufolge rund 8 Millionen Klaviere herum, unzählige Kinder, Erwachsene, Rentner würden gern Klavierspielen können – du musst es nur richtig anstellen.

Inhalt

I Schüler

II Lehrer

III Praxis

IV Technik

V Geschäft

I

Schüler

1. Liebesbrief an meine Schüler
Eigentlich ist dieser Beruf ein Kinderspiel

Liebe ist ein großes Wort, aber dieses Wort trifft es: Ohne Liebe geht gar nichts in diesem Beruf – sieh einfach hin!

Mustere die 14-jährige Schülerin verstohlen von der Seite, wie sie sich gerade mit „Alla turca“ abmüht, sie strengt sich beim Spielen sehr an. Zwar ist sie in der Pubertät mit all ihren nervigen Begleit-Erscheinungen, aber „Alla turca“, wollte sie unbedingt spielen, auch wenn es ein schweres Stück für sie ist. Vielleicht will sie damit ihren Freundinnen oder ihrem ersten Freund imponieren oder im Musikunterricht an ihrer Schule eine gute Note einheimsen. Schau, wie sie sich anstrengt, eine widerspenstige Haarsträhne fällt ihr ins Gesicht ... *sie ist einfach liebenswert!*

Oder dieser winzige achtjährige Chinese: Sein kleiner Ringelpullover würde auch einer etwas größeren Puppe passen. Noch spricht er gebrochen Deutsch, aber er lernt schnell, sein Deutsch wird von Woche zu Woche besser. Er schaut einen sehr ernsthaft und stumm an. Was er – zu Hause in einem anderen Kulturkreis lebend – wohl gerade denkt? Jede Woche ist er erschreckend gut vorbereitet, mindestens zwei Stunden übt er täglich, vielleicht auch länger, immer wirkt er ein bisschen müde. Hat er so viel Spaß am Klavierspielen oder wird er zu Hause unter Druck gesetzt? Man weiß es nicht, er sagt nicht viel, guckt immer so ernsthaft. Vielleicht sind asiatische Schüler ja anders und es macht ihnen nichts aus ... *er ist einfach liebenswert!*

Und dann gibt da diesen elfjährigen Jungen mit der großen Brille („Professor“ nennst du ihn insgeheim). Er berichtet in jeder Stunde das Neueste von seinem Aquarium, kennt den wissenschaftlichen Namen jedes Fischs und kann flüssig sämtliche Details artgerechter Aquaristik referieren. Mit großer Ernsthaftigkeit erklärt er – seine Brille zurechtrückend – auf jeden Fall Biologe oder Forscher werden zu wollen ... *er ist einfach liebenswert!*

Wenn du, nachdem du den Türdrücker betätigt hast, an einem Mittwoch um 13:00 Uhr wieder im Türrahmen stehst, hörst du schon eine Etage tiefer eifriges Trippeln. Leicht erhitzt, aber mit strahlendem Lächeln im Gesicht biegt ein achtjähriges Mädchen um die Ecke, einen riesigen Schulranzen auf dem Rücken. Ein Schulranzen, der enorm schwer ist, jeder Erwachsene würde mit ihm auf dem Buckel Rückenschmerzen bekommen. Es sprudelt nur so aus ihr heraus, was heute morgen in der Schule alles los war, dass nächste Woche Amelie Kindergeburtstag feiert, dass die neue Klassenlehrerin nett ist. Offensichtlich liegt ihr etwas daran, mir sofort alles zu erzählen ... *sie ist einfach liebenswert!*

Eine schwarze Schülerin (18) mit Wurzeln in Ghana hat es mir besonders angetan. Sie ist nicht nur fleißig, sondern hat auch jene afrikanische Herzlichkeit an sich, die mich immer sehr berührt. Absolut fasziniert bin ich, wenn sie lebhaft mit den Augen rollt und das Weiße darin zum Vorschein kommt. Ich schaue bewusst die meiste Zeit auf die Noten oder auf ihre Finger, weil ich unbedingt vermeiden will, sie über Gebühr anzustarren. Sie ist sehr ehrgeizig, peilt ein Einser-Abi an, und es sieht ganz danach aus, als würde sie das schaffen. Wieso hat sie noch so viel Zeit Klavier zu üben? Ich habe in ihrem Alter weder ihren Notenschnitt noch so viel Üben geschafft ... *sie ist einfach liebenswert!*

17 Jahre alt ist der hochgewachsene, schlanke, gutaussehende Gymnasiast, der neben dem Klavierunterricht an mehreren Nachmittagen in der Woche exzessiv Leistungssport betreibt: Langstrecke auf der Tartanbahn und als Ausgleich Kraftsport in der Muckibude. Vor kurzem wurde er Stadtmeister in der Altersklasse U 18 über 3.000 Meter. Mit seinem schelmischen Lächeln hat er bereits eine sehr charmante Art an sich. Seine Klavierlehrerin „in den besten Jahren" jedenfalls hat sich dabei ertappt, dass sie sich schon immer auf die Klavierstunde mit diesem jungen Mann jeden Dienstagnachmittag besonders freut ... *er ist einfach liebenswert!*

Sie ist Zwölf, nicht mehr Kind und noch nicht Frau, auf jeden Fall von überwältigender natürlicher Schönheit. Sie geht in die 7. Klasse, hat ein sanftes Wesen und zeigt bei jedem reizenden Lächeln ihre Zahnspange. Im Klavieruntericht stellt sich sehr schnell heraus, dass sie gänzlich frei von jeglicher Begabung ist – wahrscheinlich handelt es sich bei ihr um die unbegabteste Schülerin, die je zum Unterricht erschienen ist. Dabei haut sie jede Woche mit sichtlicher Freude und stets kräftig in die Tasten; schwer zu sagen, ob sie ihre zahlreichen falschen Töne überhaupt hört. Nach jedem Schlussakkord dreht sie sich auf dem Hocker um und lächelt ihre Klavierlehrerin erwartungsvoll an ... *sie ist einfach liebenswert!*

Eine Klavierschülerin von etwa 50 Jahren steht vor der schwierigen Entscheidung, sich scheiden zu lassen oder nicht. Von Unterrichtsstunde zu Unterrichtsstunde offenbart sie mehr ihre Ängste und Probleme. Zu ihrer Klavierlehrerin hat sie Vertrauen gefasst, und diese weiß, dass sie mit den Informationen der Klavierschülerin ganz ohne Wertung oder Urteil umzugehen hat, dass ihr schon hilft, einfach zuzuhören. Sich in die Lage dieser Frau hineinzuversetzen, fällt nicht schwer, da jede persönliche Lebenswelt ihre eigene Logik hat, und man einen Menschen umso besser verstehen kann, je intensiver man sich auf ihn einlässt ... *sie ist einfach liebenswert!*

Der Herr im Maßanzug (53), der am Abend als letzter Schüler des Tages erscheint, ist in der Führungsetage eines großen Dax-Konzerns tätig. Ehrgeizig wie er ist, schafft er es trotz 60-Stunden-Woche, regelmäßig Klavier zu üben und einmal in der Woche zum Klavierunterricht zu erscheinen. Er erzählt einiges aus dem Wirtschaftsleben im Bewusstsein, dass von diesen Interna vonseiten der Klavier-Lehrkraft niemals etwas nach außen dringen wird. Er verdient mit Sicherheit das Zehnfache der Lehrkraft, aber diese stellt fest, dass niemandem etwas geschenkt wird. Der Manager steht unter immensem Erfolgsdruck, der ihn Tag und Nacht beschäftigt, er zahlt für sein Einkommen einen hohen Preis. Als gute Zuhörerin ist die Lehrkraft womöglich die einzige Gesprächspartnerin, mit der er offen darüber reden kann, wie sehr er sich belastet fühlt – was er noch nicht mal seiner Frau erzählt, vor der er sich keine Blöße geben will ... *er ist einfach liebenswert!*

Im Klavierunterricht erklärt eine 16-jährige Schülerin ganz unvermittelt, sie nähme Drogen. Nachfragen ergeben, dass es sich um Cannabis handelt, eine „weiche" Droge, zwar verboten, aber nicht direkt zur Abhängigkeit führend. Nach Untersuchungen der Bundesregierung macht ein Drittel aller Jugendlichen Erfahrungen mit Cannabis, mit dem wirklich an jeder deutschen Schule gedealt wird. Es besteht kein Anlass, die Eltern der 16-Jährigen zu informieren. Angebracht ist jedoch ein warnendes Gespräch über „härtere" Drogen. Das Mädchen hört aufmerksam zu. Offensichtlich war es ihr ein Bedürfnis, einer erwachsenen Person zu beichten, die sie nicht gleich ausschimpft, weil sie Cannabis raucht. „Erzählen Sie aber nichts davon meinen Eltern!", fleht sie inständig ... *sie ist einfach liebenswert!*

Dieser elfjährige schlacksige Junge, der immer mit total schmutzigen Schuhen direkt vom Fußballtraining kommt, erinnert seinen Klavierlehrer sehr daran, wie er selbst war in diesem Alter: nichts im Kopf als den Geburtstag in zwei Wochen, der Tag, an dem er endlich die Fußballschuhe mit den richtigen Stollen darunter bekommt. Und genau das, was heute der Klavierlehrer seinen Eltern immer wieder sagt („der Junge ist durchaus begabt, aber ziemlich faul"), genau das haben auch die Eltern des Klavierlehrers damals stets aufs Neue zu hören bekommen – wie kann der Klavierlehrer dem durchaus begabten, aber ziemlich faulen Junge etwas übel nehmen ... *er ist einfach liebenswert!*

Die 12-Jährige mit den langen roten Haaren, die an der Schwelle zur Pubertät steht, ist stets fahrig und unkonzentriert, weil ihr gerade tausend wichtige Dinge durch den Kopf gehen. Ihrer Klavierlehrerin kommt es vor, als wäre sie mit sich selbst konfrontiert, mit sich selbst ein paar Jahrzehnte zuvor: Die Schule ist voll anstrengend, der Mathe-Lehrer ist echt unmöglich, und die Eltern nerven nur noch. Und jetzt soll sie in der Klavierstunde auch noch dreimal hintereinander diese blöde Stelle spielen, gaaaaaanz langsam! Wenigstens meckert die Klavierlehrerin nicht, weil sie in dieser Woche schon wieder nicht geübt hat (das hätte gerade noch gefehlt). Drei Arbeiten mussten sie in dieser Woche schreiben, darunter Mathe (der Horror!). Sie streicht sich die langen roten Haare hinters Ohr und bemüht sich tatsächlich, diese blöde Stelle dreimal hintereinander gaaaaaanz langsam zu spielen ... *sie ist einfach liebenswert!*

Wer mit sich selbst im Reinen ist, dem fällt es schwer, nicht gerührt zu sein, wenn sich ein Mensch in seiner ganzen Vielfalt aufgemacht hat, um in den Klavierunterricht zu kommen, sich dort in jeder Stunde freiwillig kritisieren lässt und so Woche für Woche zum Lebensunterhalt der Lehrkraft beiträgt. Natürlich geht es im Unterricht in erster Linie um Handhaltung, Fingersätze, Anschlag, Rhythmus – aber da sitzt auch ein Menschen mit seinem gesamten Leben, dem man nicht nur beim Klavierspiel zuhört. Schüler spüren sehr genau, ob man sie liebt, und der Grad der Liebe hat direkten Einfluss auf ihre Tasten-Leistungen. Die eine Privatlehrkraft erwirtschaftet gerade das Existenzminimum, die andere im gleichen Stadtteil ein gutes Einkommen. Die mit dem guten Einkommen profitiert von ihren empathischen Fähigkeiten auf dreierlei Weise:

- *Fachlich*, weil ein Schüler, der sich menschlich angenommen fühlt, eher bereit ist, sich etwas sagen zu lassen und so auf dem Klavier deutlich schneller vorankommt.

- *Finanziell*, weil ein Schüler, der von seinen Sorgen und Nöten erzählen darf, aufgrund dieser Sekundär-Motivation wesentlich länger als zahlender Kunde erhalten bleibt.

- *Persönlich*, weil es für die Lehrkraft eine Bereicherung ist, frei Haus viele vertrauensvoll gewährte Einblicke in sehr unterschiedliche Lebens- und Denkwelten zu erhalten.

Ist man auf dem freien Markt tätig, braucht man Klavierschüler nicht nur für seinen Lebensunterhalt, sondern auch zur Stabilisierung des Alltags und als permanente geistige und persönliche Herausforderung. Jeder Schüler ist ein Geschenk! Manchmal tut es sogar ein bisschen weh, wenn einer geht. Aber mit den entsprechenden Fähigkeiten und an einem guten Standort, kann man sich eingebettet fühlen in einen nie versiegenden Strom immer neuer Schüler, große und kleine, junge und alte, sportliche und unsportliche, religöse und atheistische, begabte und unbegabte, freche und liebe, und jeder von ihnen trägt dazu bei, dass man in diesem Beruf ziemlich glücklich sein kann.

2. Schlaue Schüler im Unterricht
Lehrer mäßig, Schüler ziemlich begabt

Manche Schüler sind so begabt, dass man nur staunen kann. Erinnert man sich an die eigenen Anfänge, erkennt man: Ich war lange nicht so begabt, und es entsteht die Situation, dass ein sehr begabtes Individuum von einer eher durchschnittlich begabten Person unterrichtet wird – die beiden trennt allein der Umstand, dass die unterrichtende Person ein paar tausend Stunden mehr am Klavier verbracht hat. Handelt es sich um die glückliche Konstellation, dass das sehr begabte Individuum auch noch regelmäßig übt, kommt es in kurzer Zeit zu enormen Fortschritten. Bleiben einem derlei Schüler ein paar Jahre erhalten, erreichen sie schnell eine beachtliche Spielstärke. Manchmal wachsen einem solche Schüler dann über den Kopf und es wird schwierig, sie weiter zu unterrichten.

Äußert das begabte und noch dazu fleißige Wesen den Wunsch, ein technisch schweres Klavierstück zu lernen, kann das Problem aufkommen, dass die Lehrkraft dieses Stück noch nie geübt hat und es auch nicht vom Blatt spielen kann – wie viele Klavier-Lehrkräfte haben schon jedes Praeludium und jede Fuge des Wohltemperierten Klaviers, alle 32 Klaviersonaten Beethovens und sämtliche Etüden von Chopin „drauf"? Und wie verträgt sich diese Situation mit dem Standpunkt, man könne ein Stück nur seriös unterrichten, dass man selber gut beherrscht, in dem man alle möglichen Fingersätze ausprobiert, für jede vertrackte Stelle die richtige Technik gefunden und auf Anhieb alle rhythmisch vertrackten Stellen im Ohr hat?

Je spielstärker eine Lehrkraft ist, desto schneller kann sie natürlich Stücke erfassen, die sie selbst noch nicht selbst gespielt hat. Ergo ist es unabdingbar, dass die Lehrkraft im Training bleibt und auch noch selbst tut, was sie von ihren Schülern verlangt: regelmäßig Klavierüben, auch wenn sie schon lange ihr Examen in der Tasche hat (siehe auch Kapitel 12: Die schlaue Klavier-Lehrkraft). Trotz guter Technik der Klavier-Lehrkraft kann beim Unterrichten begabter, Schüler jener peinliche Moment entstehen, in dem die Lehrkraft nicht in der Lage ist, dem Schüler eine bestimmte Stelle in einem Stück unfallfrei vorzuspielen. In diesem Moment, in dem die Autorität der Lehrperson vermeintlich ins Wanken gerät, hilft nur die Flucht nach vorn und man sagt dem Schüler ganz ehrlich, dass man ihm diese Stelle erst in der nächsten Woche vorspielen werde, nachdem man sie sich noch einmal angeguckt habe. Davon ist der Schüler bestimmt mehr beeindruckt, als wenn er miterleben muss, dass die Lehrkraft einen Absatz auch nach mehreren Anläufen immer noch nicht hinkriegt.

Um eine solche Situation gar nicht erst entstehen zu lassen, gäbe es die Lösung, im Unterricht Stücke erst gar nicht zuzulassen, die einem nicht vertraut sind. Das wird einen wirklich ambitionierten Schüler auf Dauer jedoch nicht zufriedenstellen.

Spätestens dann, wenn man sich selbst dabei ertappt, stets vor der Unterrichtsstunde eines besonders begabten Schülers Angst zu haben, ist der Zeitpunkt nicht mehr fern, ihn an einen Lehrer zu vermitteln, der einem „überlegen" ist. Natürlich tut das keine Lehrkraft gerne, aber manchmal ist es für beide Seiten das Beste und nimmt auf einen Schlag eine Menge Druck von der Lehrkraft – es muss ja nicht unbedingt die Konkurrenz im gleichen Stadtteil sein. Als diplomierte Lehrkraft kann man sich ja auch an seinen ehemaligen Professor wenden.

Und dann sind da noch jene übermotivierten, stets ungeduldigen Schüler, Jugendlichen oder Erwachsenen, die extrem viel üben, um so schnell wie möglich Fortschritte zu machen. Sie zeigen übertriebenen Einsatz, studieren viel mehr Stücke ein als verlangt oder üben an einem Stück weiter als abgesprochen. So kommt man im Unterricht gar nicht dazu, alles durchzunehmen, an was sie sich die Woche über in ihrem Übereifer versucht haben. Nicht selten verfestigen sich bei diesen Schülern falsche Töne, verquaste Fingersätze und verkehrte Rhythmen, von denen sie nur schwer wieder abzubringen sind. Solche furibunden Tastenlöwen sind im Unterricht genauso unangenehm wie nie übende Schüler. Ihnen ist das Klavierspiel als ein *Handwerk* nahezubringen, in dem man am weitesten mit ruhiger Beharrlichkeit über eine lange Zeitspanne kommt – mit Gewalt ist in diesem Metier gar nichts zu erreichen.

Bisweilen werden minderjährige Schüler auch durch übermotivierte Eltern unter Druck gesetzt. Als Klavier-Lehrkraft muss man dann machtlos mit ansehen, wie ein Sprössling von den Eltern mit Liebesentzug bestraft wird, weil er ein Stück nicht fehlerlos hinkriegt oder ein willkürlich gesetztes Übepensum nicht erfüllt hat. Dann kann es passieren, dass man bemerkt, während man einem Kind ins Aufgabenheft schreibt, dass es ein Stück noch mal wiederholen soll, dass ihm ein Tränchen die Wange herunterrollt, und auf sanfte Nachfrage bringt es dann unter Schluchzen hervor, dass seine Eltern ganz sicher schimpfen würden, wenn es dieses Stück noch einmal aufbekäme – keine einfache Situation für eine Lehrkraft. Für wen soll sie nun Partei ergreifen, mit wem soll sie es sich verscherzen?

Nimmt sie die Position der Eltern ein (von denen sie immerhin regelmäßig bezahlt wird), verliert sie den Kontakt zum Kind, es wird einem nicht mehr vorbehaltlos vertrauen und gestellte Aufgaben allenfalls trotzig erfüllen. Das Kind gegen die Eltern zu verteidigen, ist die schwierigere Variante; den hochleistungsorientierten Helikopter-Eltern ist dann zu verdeutlichen, wie schade es wäre, verlöre das Kind durch zu viel Druck die Freude am Klavierspielen; irgendwann ließe es sich nicht mehr zwingen und würde ganz mit dem Klavierspielen aufhören – womit die Eltern das Gegenteil ihres Bestrebens erreicht hätten.

3. Dumme Schüler im Unterricht
Von der Beherrschung der Ungeduld

Sie machen nur einen kleinen Prozentsatz der Schüler aus, aber es gibt sie: Schüler jeden Alters, die nicht gerade begabt sind. Warum? Weil ihre Gedanken immer woanders und nicht bei der Sache sind und sie sich deshalb nicht die kleinste Ton- oder Fingerfolge merken können, weil ihnen jeglicher innere Rhythmus fehlt und weil ihre Finger auf den Tasten stets unruhig herumzappeln. Jede langjährige Klavier-Lehrkraft kann bestätigen, dass man die Schüler einteilen kann in die mit klaviertechnischer Intelligenz gesegneten und die mit geringerer klaviertechnischer Intelligenz gestraften.

Beim Einüben von Klavierstücken im Unterricht, die ein Schüler noch nie gesehen hat, lässt sich klar differenzieren in *begabt* oder *unbegabt*, denn hier spielt der Faktor *häuslicher Fleiß* keine Rolle. Einen *begabten* Schüler lässt man eine kleine Tonfolge unter Wahrung des richtigen Fingersatzes erst langsam dann immer schneller 6- bis 12-mal spielen, dann beherrscht er in der Regel die Phrase. Den unbegabten Schüler lässt man dieselbe Tonfolge in gleicher Weise spielen, aber 20- bis 30-mal. Zehn Minuten später scheint es, als hätte er diese Tonfolge noch nie vor Augen gehabt. Die Klavier-Lehrkraft denkt bei sich: „Das kann doch nicht wahr sein!“, und fängt mit dem Schüler wieder von vorne an (was soll sie auch sonst tun).

Sehr unbegabte Klavierschüler fordern eine Lehrkraft genauso wie sehr begabte Klavierschüler. Will sich trotz größten persönlichen Einsatzes der Lehrkraft ein Erfolg nicht einstellen, kämpft sie nach einer gewissen Zeit dagegen an, nicht ungehalten zu werden. Das Gefühl, das die Lehrkraft zu beherrschen versucht, ist *Ungeduld* – sie entsteht, wenn man viel investiert hat und mit ansehen muss, dass trotz aller Anstrengung nichts dabei herauskommt. Wieder und wieder hat die Lehrkraft alle möglichen Lehrmethoden ausprobiert, ist das Problem immer wieder von einer anderen Seite angegangen, ist die ganze Zeit schier übermenschlich geduldig geblieben, hat sich lange zu professioneller Gelassenheit gezwungen, und an irgendeiner Stelle in den Noten resigniert sie und findet, dass es jetzt reicht, sie kann einfach nicht verstehen, dass der Schüler diese gar nicht schwere Stelle verdammt noch mal immer noch nicht in den Fingern hat.

Die Lehrkraft, die lange – sehr lange – die Geduld in Person war, fühlt plötzlich, dass sie gereizt ist, darf dieses Gefühl aber nicht herauslassen, denn natürlich beherrscht sie sich vor dem Schüler. Ihre Ohnmacht lässt sie derweil an Sachen aus, blättert zum Beispiel eine Notenseite eine Spur zu heftig um, pfeffert einen Bleistift auf den Schreibtisch, ihre Stimme klingt plötzlich anders. Die Ungeduld führt auch bei ihr zu Unkonzentriertheit, ihre Aufmerksamkeit lässt nach, ihr unterlaufen Flüchtigkeitsfehler, sie fühlt sich als Versagerin, weil all ihre Erfahrung und sämtliche Lehrmethoden nicht zum Erfolg geführt haben. Der Schüler spürt die unterdrückten Emotionen seiner Lehrkraft trotz aller Energie, die sie aufwendet, sie sich nicht anmerken zu lassen, wird noch unsicherer und der Lernerfolg rückt in noch weitere Ferne.

Es wäre besser, wenn die Ungeduld über einen unbegabten Schüler gar nicht erst entstehen würde. Wie aber ist es zu schaffen, auch bei einem äußerst unbegabten Schüler niemals ungeduldig zu werden? In vielen Fällen bietet es sich an, das Fachliche im Klavierunterricht hintenanzustellen und den Schwerpunkt auf die menschliche Seite des Klavierunterrichts zu legen. Oft verspürt der Schüler selbst gar nichts von seiner Minderbegabung und sein Umfeld auch nicht. „Wie begabt ist eigentlich mein Kind?“, hört man selten gerade von den Eltern besonders unbegabter Schüler. Und wenn sie doch mal fragen, sollte man im Ernstfall ganz bestimmt nicht antworten: „Wenn sie mich schon fragen: Ihr Kind ist das bei weitem schlechteste unter meinen Schülern, der Klavierunterricht mit ihm ist eigentlich verlorene Liebesmüh.“

Immerhin ist es ja so, dass selbst der unbegabteste Schüler immer ein bisschen weiterkommt, wenn man mit ihm übt, auch wenn seine Erfolge nicht die größten sind. Liegt denn der Sinn des Klavierunterrichts unbedingt in der *Geschwindigkeit* des Vorankommens? Man schaue auf Kinder mit Down-Syndrom (die durchaus lernfähig sind): Zu jeder Unterrichtsstunde erscheinen sie übers ganze Gesicht strahlend und machen zwar mikroskopische, aber doch stetige Fortschritte. Sehr unbegabte Kinder und Erwachsene sind aller Erfahrung nach oft besonders liebe Kinder und besonders liebe Erwachsene, nie fällt es ihnen ein, sich darüber zu beschweren, wenn sie 25-mal hintereinander das gleiche kleine Puzzle-Teil spielen sollen. Das unbegabte kleine Mädchen, der unbegabte halbwüchsige Junge, die unbegabte ältere Dame schauen einen treuherzig mit großen Augen an, wenn man mit ihnen spricht und kringeln sich über jeden harmlosen Witz oder lustigen Ausspruch der Lehrkraft – wie kann sie da ungeduldig sein?

Von einer Klavier-Lehrkraft darf ein gewisses Reflexions-Vermögen erwartet werden. Kocht ihre Ungeduld an einem Tag besonders hoch, sind ein paar kritische Fragen über ihr eigenes Befinden angebracht. „Aggressions-Verschiebung“ nennt die Sozialpsychologie das auf Ersatzobjekte gerichtete Aggressionsgefühl einer Person, weil das eigentlich Objekt des Unmuts im Moment nicht bewältigt werden kann. So sollte eine Lehrkraft, die an einem Tag besonders viel Energie benötigt, ihre Reizbarkeit im Zaum zu halten, in sich gehen: Gibt es vielleicht etwas, über das sie sich am Abend zuvor oder am Morgen besonders geärgert hat?

Verspürt sie womöglich gerade Rückenschmerzen, hat sie verspannte Schultern oder leichtes Kopfweh? Fehlte es in der Nacht an Schlaf? Gibt es Stress in der Partnerschaft oder leidet die Lehrkraft gerade besonders darunter, keine Partnerschaft zu haben? Gab es mit irgend jemandem Streit? Ist im Haus alles ok? Nervt der Nachbar vielleicht zur Zeit wieder besonders? Bedrückt die Lehrkraft gerade ein finanzieller

Engpass? Graut es ihr vor dem Zahnarztbesuch morgen? Wäre sie jetzt bei dem Wetter lieber draußen in der freien Natur? Ist sie vielleicht ferienreif?

Nicht nur für ihre Schüler sollte eine Lehrkraft eine gute Antenne haben, sondern auch für sich selbst, dass heißt, sich persönlich jederzeit wirklichkeitsnah wahrzunehmen. Selbsterkenntnis kann demütigend und schmerzhaft sein, es ist jedoch besser, ihr nicht auszuweichen. Nicht selten wird eine selbstkritische Lehrkraft zu dem Schluss kommen, dass die stärkeren Emotionen an besonderen Tagen nicht allein mit dem Schüler zu tun haben, der neben ihr sitzt. Und wenn es doch der Schüler ist, der jedem anderen auf dem Stuhl der Klavierkraft ebenfalls den letzten Nerv töten würde, kann es ein Trost sein, dass auch dieser Schüler finanziell zu ihrem Lebensstandard beiträgt und sie sich nicht schämen muss, gelegentlich die berühmten Dollarzeichen im Auge zu haben. Und überhaupt: In welchem Beruf ist jede Arbeitsstunde das reine Vergnügen? Man atme tief durch und mache weiter, es sind ja nur noch ein paar Minuten bis zum nächsten Schüler, und das ist doch dieser nette ...

4. Brave Kinder im Unterricht
Schüler sind überwiegend gut erzogen

Unterhält sich eine Klavier-Lehrkraft auf Partys mit Lehrkräften von allgemeinbildenden Schulen, bekommt sie in Gesprächen über den Unterricht oft den Spruch um die Ohren gehauen: „Du kannst ja gar nicht mitreden, als Klavierlehrer hast du doch immer nur *Edelschüler*!“ Kommen Klavierschüler tatsächlich vorwiegend aus „gutem Hause“? Ja, es stimmt, Klavierschüler kommen oft aus Familien, die Eigenheime bewohnen, SUV fahren, Golf spielen und teure Markenkleidung tragen. Diese Klientel lässt sich einteilen in

- *Familien, die ihre Kinder aufgrund des bürgerlichen Bildungs-Ideals in den Klavierunterricht schicken.*
  In solchen Familien spielt mindestens ein Vorfahre ein Instrument.
  Aus diesen begüterten Familien kommen die begabteren Kinder.

- *Familien, die gut situiert sind und ihre Kinder neben Ballett und Reiten auch Klavierunterricht ermöglichen.*
  In solchen Familien hat das Spielen eines Instruments keine Tradition.
  Aus diesen begüterten Familien kommen weniger begabten Kinder.

Klavier zu spielen als Abgrenzung zur kleinbürgerlichen- und Arbeiter-Klasse hat eine lange Tradition. Als das Klavier im 19. Jahrhundert technisch zu seiner heutigen Form reifte, suchte sich das aufstrebende Bürgertum von den „unteren Schichten“ abzusetzen, indem es die feinen Sitten und Gebräuche der Aristokratie nachahmte. Standen Tasteninstrumente im 18. Jahrhundert noch ausnahmslos in den Sälen des Adels und gekrönter Häupter, zog das Klavier im nachfolgenden Jahrhundert in biedermeierliche Wohnzimmer und bürgerliche Gaststätten um und wurde zum beliebtesten und verbreitetsten Musikinstrument.

Nahezu jede Tochter aus gutem Hause lernte nun Klavierspielen und frönte der Selbstgeißelung durch stundenlanges Wiederholen der berühmt-berüchtigten Fingerübungen des Etüdenfabrikanten Carl Czerney aus Wien – damals das Nonplusultra jedes Möchtegern-Virtuosen. Übrigens gab es weit mehr Mädchen als Jungen, die angehalten wurden, das Spielen auf dem Pianoforte zu erlernen, weil dies (neben Handarbeiten und Haushaltsführung) als gute Investition in die Heiratschancen galt. So fanden viele private Klavierlehrer ihr Auskommen.

Für Frauen war das einer der wenigen gesellschaftlich anerkannten Berufe. Von der einstigen Bedeutung des Klaviers im 19. Jahrhundert sind heute noch Spuren zu erkennen. Immer noch stehen in vielen Gaststätten hohe schwarze alte Klimperkästen in der Ecke, meist haben Flaschen mit Hochprozentigem darauf Platz gefunden und Töpfe mit verstaubten künstlichen Pflanzen – keiner spielt mehr auf diesen Klavieren. Klavier spielt halt nicht jeder, Klavierspielen ist immer noch etwas Besonderes („Man müsste Klavier spielen können.") Weiterhin verbindet das Bürgertum mit einem Klavier Bildung, Stil und gehobene Lebensart. In solchen Familien achtet man nach wie vor auf „gute Umgangsformen", und so haben Klavierschüler oft bemerkenswert altmodische „Manieren".

Die Lehrer auf der Party haben also Recht mit ihrer Behauptung, dass Klavier-Lehrkräfte es hauptsächlich mit „gehobener" Kundschaft zu tun haben. Der kleine Junge, der bei der Begrüßung einen Diener macht, das kleine Mädchen mit den Schleifchen im Haar, beide von betulicher Höflichkeit, sind nicht selten. Wer als Klavierlehrer „gutes Benehmen" angenehm findet, sollte dieses Privileg genießen.

Und die Leute, die mutmaßen, dass Klavierlernende über etwas mehr Geld verfügen, haben recht. Sollten Klavier-Lehrkräfte deshalb ein schlechtes Gewissen haben? Ist das, was sie tun, elitär und unsozial? Nein, Musik selbst ist niemals unsozial, auch wenn sie nicht von allen Bevölkerungsschichten in gleicher Weise ausgeübt werden kann. An den gesellschaftlichen Verhältnisse trägt eine Fuge von Bach, eine Sonate von Beethoven oder ein Impromptu von Schubert keine Schuld. Es ist absolut nichts Unsoziales daran, Menschen für das Klavierspielen zu begeistern und sie zu ertüchtigen, selbst Musik zu machen, statt immer nur Musik von Anderen zu konsumieren.

5. Freche Kinder im Unterricht
Wie viel man sich bieten lassen muss

Die Lehrkraft stimmt mit der Mutter am Ende der Probestunde praktische Einzelheiten des künftigen Klavierunterrichts ab. Währenddessen turnt die Probeschülern (8 Jahre) gelangweilt im Musikzimmer herum. Während sich die Lehrkraft mit der Mutter unterhält, beobachtet sie aus den Augenwinkeln, wie das Kind Bücher aus dem Bücherregal zieht, eine alte Vase auf der Fensterbank anhebt, einen Bilderrahmen an der Wand zum Schaukeln bringt ...

Die Mutter lässt das Kind frei gewähren, die Lehrkraft hält sich zurück, schließlich ist das heute eine Probestunde, Mutter und Tochter sind zum ersten Mal hier, unmöglich kann die Lehrkraft jetzt das Mädchen zur Ordnung rufen. Das wäre eigentlich Aufgabe der Mutter, die das Kind ungerührt im Hintergrund die Wohnung „untersuchen" lässt. Die Lehrkraft (im Moment kann sie gut neue Schüler brauchen) weiß, es käme jetzt gar nicht gut an, wenn sie das Kind zurechtweisen würde, Mutter und Kind wären irritiert.

Das Kind behutsam, aber nachdrücklich darum bitten, in einer fremden Wohnung die Finger von den Sachen rundherum zu lassen, kann die Lehrkraft erst, wenn sie im Unterricht mit dem Kind alleine ist. Aber hat sie überhaupt einen Erziehungs-Auftrag, der über das reine Unterrichten am Klavier hinausgeht? Den hat sie nicht – aber sie darf sich und ihr Eigentum schützen, schließlich ist zum Beispiel die alte Vase auf der Fensterbank, die das Kind inzwischen auf den Händen balanciert, nicht vom Flohmarkt, sondern ein Erbstück von der Oma. Sind gewisse Grenzen für ein Kind neu, gehört zum pädagogischen Vorgehen viel Fingerspitzengefühl, denn die Lehrkraft möchte die neue Schülerin ja gerne behalten. In der ersten Klavierstunde nach der Probestunde guckt das 8-jährige Mädchen die Lehrkraft mit großen Augen an, wenn es ermahnt wird, bitte nicht an alle Sachen im Zimmer dranzugehen – wahrscheinlich denkt es jetzt, dass die Lehrkraft gar nicht mehr so nett ist wie in der Probestunde.

Die Lehrkraft sollte sich, nachdem sie das Kind ermahnt hat, nicht beirren lassen und von der ersten Stunde an weiter Konsequenz zeigen – nur so bleibt sie auf Dauer Herr der Lage. Kinder suchen Orientierung und nehmen es auf lange Sicht keineswegs übel, wenn ihnen jemand Grenzen aufzeigt, auch in der Schule sind die strengeren Lehrer nicht die unbeliebteren. Allerdings kommt es stark auf den Ton an, mit dem Verbote ausgesprochen werden – jedes Kind hat ein Gespür dafür, ob die schimpfende Lehrkraft nur gerade ihren Frust ablässt oder ob es um die Sache geht.

Klavierunterricht ist eine Wahlveranstaltung in der Freizeit, ein Luxus aus freiem Willen, eine ganz besondere Entscheidung. Jeder Klavierschüler kann sofort aufhören mit dem Unterricht, der die Existenz der privaten Lehrkraft sichert (siehe Kapitel 42: Vertragsloser Klavierunterricht). Wenn die 8-Jährige aus einer Laune heraus sagt „Mama, ich will aber nicht mehr Klavier spielen!“, besteht unmittelbar die Gefahr einer Gehaltsminderung bei der Lehrkraft. So hat ein Klavierlehrer auf dem freien Markt keinen allmächtigen Chef, aber ganz viele kleine, große, junge und alte „Chefs“ deren Launen sie jeden Tag ausgesetzt ist – bei allen muss die Lehrkraft Sorge tragen, dass sie sich wohlfühlen im Klavierunterricht.

Trotzdem sollte sich auch eine private Lehrkraft nicht alles gefallen lassen. Das Gebaren neuer Schüler im Kindesalter folgt einem Muster: Am Anfang sind sie in der Regel schüchtern und still und schauen die Lehrkraft forschend an. Haben sich die Abläufe nach einigen Wochen eingespielt und ist ein gutes „Betriebsklima“ entstanden, tauen sie langsam auf und fühlen sich mit der Zeit immer sicherer. Jetzt sind sie in mancher Stunde schon sehr „aufgeräumt“ und das Pendel schlägt bisweilen in die Gegenrichtung aus, das heißt, die Kinder werden übermütig und versuchen auszutesten, wie weit sie gehen können.

Nun gilt es rechtzeitig gegenzusteuern, denn wenn die Stimmung im Unterricht zu locker geworden ist, verstehen einige Kinder das falsch und beginnen über die Stränge zu schlagen. Es gelingt nicht so schnell und ist sehr mühselig, außer Rand und Band geratene Kinder wieder „einzufangen“. Sind sie schon so weit abgedriftet, dass sie den Respekt vor der Lehrperson verloren haben, reicht es nicht mehr, mahnend ein wenig die Stimme zu erheben; selbst wenn das jetzt nötige Gegenmittel in diesem Fall nicht dem Unterrichtsstil entspricht, den man anstrebt, muss man es nun anwenden, d.h. ein Kind kurz und heftig einschüchtern, damit es wieder zur Besinnung kommt.

Die aufgeklärte Klavier-Lehrkraft will natürlich auf keinen Fall *autoritär* auftreten – *Autorität* aber sollte sie schon ausstrahlen, denn Unterricht kann nur mit Schülern gelingen, die sich etwas sagen lassen. Ohne ein Lehrer-Schüler-Gefälle kann kein Unterricht funktionieren. „Antiautoritärer“ Unterricht geht immer nach hinten los und weder Lehrer noch Schüler fühlen sich wohl dabei. Übersensibel in höheren künstlerischen Sphären schwebende Klavier-Lehrende haben bisweilen Schwierigkeiten mit der Unterrichts-Praxis. Klavierunterricht zu geben ist aber nicht nur Kunst, sondern auch Maloche. Das Leiden daran, in diesem Metier gelegentlich robust auftreten zu müssen, ist jedoch allemal geringer als das Leiden daran, jede Woche den Frechheiten eines Kindes ausgesetzt zu sein, das man nicht rechtzeitig in den Griff bekommen hat.

Mit der Zeit entwickelt eine erfolgreiche Klavier-Lehrkraft aber auch ein Gespür dafür, in welcher Situation sie den überflüssigen Kommentar eines pubertierenden Schülers mal überhören sollte. Ein Klassiker: Die Lehrkraft hat sich redlich bemüht, mit einem neuen Stück den Geschmack eines 14-jährigen Schülers zu treffen, und ihm das Stück voller Inbrunst vorgespielt. Einziger Kommentar des Puber-Tiers: *„Also dazu habe ich jetzt aber gar keine Lust, das ist doch viel zu schwer.“*

Die Lehrkraft tut daraufhin so, als hätte sie nichts gehört und bittet den 14-Jährigen freundlich, mit der rechten Hand die erste Zeile des neuen Stücks zu spielen; dabei unterstützt sie ihn aktiv mit dem Notenzeiger (siehe Kapitel 35: Rhythmus- und Notenzeiger), hebt mit Buntstift die alterierten Noten hervor und lobt ihn bald, wie schnell er diese Zeile doch schon gelernt habe. Meistens ist dann keine Rede mehr von „*Also dazu habe ich jetzt aber gar keine Lust, das ist doch viel zu schwer.*"

Da man als selbstständige Lehrkraft (schon aus wirtschaftlichen Gründen) den Anpruch hat, mit jedem Schüler zurechtzukommen, verdrängt man hin und wieder Unangenehmes und es ist einem manchmal nicht bewusst, wie unerquicklich der Unterricht mit einem Schüler ist. Nimmt man sich die Zeit, langsam Namen für Namen im Wochenplan durchzugehen und dabei auf sein Gefühl zu achten, spürt man, dass bei dem einen oder anderen Schüler etwas im Argen liegt, entweder

... belastet einen die Frechheit des Schülers,
dann hat man ein disziplinarisches Problem (siehe Kapitel 5); oder

... überfordert einen der Schüler technisch,
dann hat man ein klavierfachliches Problem (siehe Kapitel 2); oder

... macht einen der Schüler ziemlich aggressiv,
dann hat man ein gefühlsmäßiges Problem (siehe Kapitel 16).

Zwar ist man als private Musik-Lehrkraft von der Anzahl seiner Schüler finanziell abhängig, denn Schüler sind Kunden, und je mehr Kunden, desto mehr Verdienst. Aber es liegt auch im wirtschaftlichem Interesse, sich nicht von einem extrem schwierig zu unterrichtenden Schüler jede Woche so tyrannisieren zu lassen, dass weniger Kraft und Elan für die anderen Schüler übrig bleibt; in diesem Fall ist eine Kündigung von Lehrerseite angeraten (siehe Kapitel 48: Blättern in den Kontoauszügen).

Die Schülerzahl unterliegt im Jahreskreis einem natürlichen Rhythmus: Im Hochsommer ist sie am niedrigsten, da sich Schüler meist mit Beginn der Sommerferien verabschieden. Sind die großen Ferien vorbei, rollt das Geschäft wieder an. Den Winter über strebt die Zahl bis zum Frühjahr ihrem Höchststand entgegen, um dann ab Ostern wieder in den Sinkflug überzugehen. Der Finanzen wegen ist man also im Sommer eher bereit, sich mit „frechen" Kindern und unangenehmen Erwachsenen herumzuschlagen, während man im Winter von hohem Rosse grüßen kann.

6. Herr X und Frau Y am Klavier

Männliche Schüler sind anders als weibliche

Es gibt sie im Klavierunterricht, die Unterschiede zwischen Jungen und Mädchen sowie Männern und Frauen, das wird jede langjährige Lehrkraft bestätigen und je älter die Schüler sind, desto größer werden die Unterschiede. Bei *Kindern* ist die Varianz noch am geringsten, ein 6-jähriger Junge unterscheidet sich noch nicht sonderlich von einem 6-jährigen Mädchen. Aber auch hier differiert das Verhalten schon: Kleine Jungen sind ein wenig stiller, schauen die Lehrkraft nicht so oft an, brauchen etwas länger, um warm zu werden. Kleine Mädchen sind kommunikativer, mustern die Lehrkraft neugierig und gehen eher aus sich heraus.

Bei *Jugendlichen* spielt es eine Rolle, ob sie von einem Menschen des gleichen oder des anderen Geschlechts unterrichtet werden. Pubertierende (Mädchen ab 11, Jungen ab 12 Jahren) sehen ihre Lehrkraft auf einmal mit anderen Augen an. Jungen richten verstohlen abtastende Blicke auf ihre Lehrerin und versuchen unsicher ihre Gefühle einzuordnen, den Lehrer taxieren sie: Ist er eher streng oder Kumpel? Mädchen betrachten interessiert Kleidung und Schmuck ihrer Lehrerin und vergleichen sich mit ihr, mit Lehrern beginnen sie zu kokettieren. Bei *Erwachsenen* zeigen sich Verhaltensweisen, die am besten so zu beschreiben sind (*Herr* X und *Frau* Y verfügen über eine vergleichbare Spielstärke und haben zu Hause dasselbe Stück geübt):

> *Herr* X kommt zum Klavierunterricht und verkündet:
> „Ich habe das Stück geübt und kann es, ich zeig's ihnen mal!"
>
> *Herr* X spielt vor und macht 17 Fehler – dann sagt er sehr bestimmt:
> „Zu Hause ging's perfekt, keine Ahnung, warum jetzt nicht."
>
> *Frau* Y kommt zum Klavierunterricht und tut kund:
> „Ich habe das Stück geübt, kann es aber noch nicht so gut."
>
> *Frau* Y spielt vor und macht 17 Fehler – dann sagt sie etwas verlegen:
> „Sehen Sie, ich kann's noch gar nicht, wie soll ich das üben?"

Sehr viel mehr Frauen als Männer nehmen Klavierunterricht. Ausnahmen bestätigen die Regel, aber in der Mehrzahl treten Frauen bescheidener auf als Männer, und da sie sich eher etwas sagen lassen, sind sie komfortabler zu unterrichten. Die wenigen Männer, die als Erwachsene noch Klavierunterricht nehmen, sind oft besonders ehrgeizig.

Warum kommen mehr Frauen als Männer zum Unterricht? Dieses Phänomen trifft man in der gesamten Weiterbildung an, die Volkshochschulen überall im Land befinden sich in Frauenhand, männliche Teilnehmer machen dort keine 25 % aus. Der Direktor einer großen VHS erkärte, dass läge an drei Dingen: Männer verspürten 1. grundsätzlich weniger Lust auf Weiterbildung in der Freizeit, hätten 2., weil sie Karriere machen wollten, weniger Zeit für ein Hobby übrig und bildeten sich 3. schon oft im Rahmen ihres Berufes weiter. Dies gilt offensichtlich auch für den privaten Klavierunterricht.

Frauen sind allgemein aufgeschlossener für kreative Freizeit-Beschäftigungen, die nicht unbedingt der Leistung im Beruf zugute kommen und es fällt ihnen leichter, am Klavier Emotionen zu zeigen. Es gibt immer noch 100-mal mehr Haus*frauen* als Haus*männer* und Frauen nehmen wesentlich öfter Teilzeitjobs an, so haben Frauen im Durchschnitt mehr Zeit für das Klavierspielen, was allerdings für Rentner nicht zutrifft. Auch bei Kindern und Jugendlichen gibt es im Klavierunterricht ein Übergewicht des weiblichen Geschlechts, Jungen spielen wohl immer noch öfter Fußball als Mädchen. Wahrscheinlich wirkt hier noch ein wenig das 19. Jahrhundert nach, das „goldene Zeitalter der Hausmusik", in dem – wie schon in Kapitel 4 beschrieben – Mädchen in erster Linie zu trauter häuslicher Beschäftigung angehalten wurden.

7. Ich möchte „Für Elise" spielen

Das dauert ja, bis man mal was kann

Wenn es im Klavierunterricht um ein neues Stück geht, sagen Schüler oft: „Ich möchte gern mal etwas ‚Bekanntes', spielen." Auf Nachfrage hört man dann, was die Klassik angeht, immer die gleichen Titel:

Bach:	Praeludium C-Dur
Händel:	Largo (aus „Xerxes")
Vivaldi:	Vier Jahreszeiten
Mozart:	Rondo Alla Turca, Eine kleine Nachtmusik
Beethoven:	Für Elise, Mondscheinsonate
Schumann:	Träumerei
Liszt:	Liebestraum
Grieg:	Morgenstimmung
Debussy:	Claire de Lune
Satie:	Gymnopedie Nr. 1

Bei „bekannter" Popmusik handelt es sich meist um Soundtracks bekannter Filme, um aktuelle Hits aus den Charts, Pop-Klassiker wie *My Way, The Entertainer, I'm Sailing*, oder um eingängige Schmuse-Stücke im Stil von *Ballade pour Adeline* oder *Comptine d'un autre été.*

„Bekannte" Klavierstücke in der Klassik

Der brennende Wunsch eines Schülers nach einem Ohrwurm der klassischen Klaviermusik ist meist völlig unabhängig von seiner Leistungsstufe, hat er doch in der Regel keine Vorstellung vom Schwierigkeitsgrad seines Favoriten. Paradebeispiel dafür ist die „Träumerei" aus Schumanns *Kinderszenen*. Das Stück ist mitnichten leicht zu spielen, jedenfalls wenn sich die Melodie (durchweg gebunden!) deutlich von den Nebenstimmen abheben soll und alle Noten exakt so lange gehalten werden, wie von Schumann notiert.

Ähnlich verhält es sich bei den anderen Rennern der Klavierliteratur die meist einer fortgeschrittenen Klaviertechnik bedürfen, besonders wenn sie annähernd so klingen sollen, wie sie der Schüler in professionellen Einspielungen gehört hat. Schülern so etwas trotz inständiger Bitten („aber ich finde das Stück doch sooooo schön!!!") auszureden, weil es angesichts ihres Könnens einfach unrealistisch ist, ist nicht einfach, aber allemal besser, als das vorhersehbare Scheitern zu riskieren, das mit der Zeit auch den Schüler frustrieren würde.

Nach kurzer Zeit wollen viele Schüler schon das berühmteste Klavierstück der Welt spielen. Ist es ratsam, ihnen mit einer stark vereinfachten Version („Berühmte Meisterwerke ganz leicht gesetzt") entgegenzukommen? Nur zu *diesem* Preis ist ein Klavierschüler dann schon nach ein paar Monaten Unterricht in der Lage, stolz zu verkünden „Ich kann *Für Elise*!!" Auf dem Notenmarkt gibt es eine Menge „von Ballast befreite" Klassiker, auch seriöse Musikverlage müssen ihren Umsatz im Blick behalten. Der eine oder andere Arrangeur hat sich darauf spezialisiert, die klassischen Zugpferde zu versimpeln, das Rezept:

- Streiche etwa 2/3 aller Noten im Originalstück
- Verkürze das Stück auf ein handliches Format
- Transponiere nach C-Dur, höchstens G-Dur
- Beschränke die Linke auf monotone Muster

Die einzige Möglichkeit Schüler von solch schaurig erleichterten Klassikern abzubringen ist, ihnen kompakte kleine Originalstücke von Komponisten vorzuspielen, die nicht so bekannt sind wie Beethoven, Schumann und Mozart. Von Friedrich Burgmüller, Muzio Clementi, Friedrich Kuhlau usw., früher abwertend „Kleinmeister" genannt, gibt es eine Menge wunderschöner Miniaturen, die auch jemand spielen kann, der meilenweit vom Virtuosentum entfernt ist. Solche Stücke den Schülern schmackhaft zu machen gelingt, wenn man sie ihnen mit ehrlicher ansteckender Begeisterung vorspielt.

„Bekannte" Klavierstücke in der Popmusik

Klavierfassungen aktueller Pop-Titel sind oft auf die Schnelle verfasst und berücksichtigen so gut wie nie das Spielvermögen eines Klavierspielers mittlerer oder geringer Spielstärke. Da werden auf der Tastatur rücksichtslos Handspannen über eine Oktave hinaus, große Sprünge und schwer zu realisierendes Legatospiel gefordert. Solchen Schöpfungen merkt man an, dass sie nicht von einer barmherzigen, täglich mit Klavierschülern arbeitenden Lehrkraft in die Welt gesetzt wurden.

Das Klavier kann als Allrounder zwar so gut wie alle Instrumente inklusive der menschlichen Stimme imitieren, aber es ist keineswegs leicht, angesagte Titel so für Klavier umzuschreiben, dass sie wiedergeben, was ihre Eigenart ausmacht, denn Popmusik zeichnet sich nicht durch große musikalische Substanz in Sachen Harmonie und Rhythmus aus, sondern lebt von raffinierten Arrangements und (meist elektronisch erzeugten) ausgeklügelten Sounds. So etwas einigermaßen authentisch wiederzugeben, braucht viel Dämpferpedal und eine Menge Noten.

Aktuelle Popmusik im Klavierunterricht spielen zu lassen, ist genauso schwierig wie die 10 bekanntesten Renner der Klassik zu unterrichten. Kommt ein Schüler mit einem hochglanz-bebilderten Album seiner Lieblingsgruppe für 29,90 € in den Unterricht, stellt sich oft heraus, dass die Noten zu schwer für ihn sind – für den Schüler enttäuschend. Will man ihm helfen, müsste man sein Lieblingsstück im Album eigenhändig vereinfachen, ohne dass das Wesentliche der Nummer verloren geht – eine diffizile Arbeit, lohnt sie sich?

- Will man sich wegen einer Pop-Nummer für einen einzigen Schüler so viel Arbeit mit der Notations-Software machen?
- Klingt der Lieblings-Titel des Schülers nach der Vereinfachung auf dem Klavier wirklich so, wie ihn der Schüler im Ohr hat?
- Lohnt sich diese stundenlange Arbeit, wenn ein paar Wochen später schon wieder ein ganz anderer Pop-Song angesagt ist?

Aber Schüler-Wünsche nach Popmusik einfach ignorieren kann man vielleicht als festangestellter Lehrer an einer Musikschule, als Privatlehrer auf dem freien Markt agiert man flexibler als ein abgesicherter Musikbeamter. Man sollte das positiv sehen, denn Herausforderungen halten einen fit. Erweist sich der (eigentlich unvernünftige) Herzenswunsch eines Schülers, einen bestimmten Titel unbedingt auf dem Klavier spielen zu wollen, lange Zeit als stabil, ist der Schüler wahrscheinlich auch bereit, lange Zeit daran zu üben – große Motivation beflügelt zu großer Leistung.

Manchmal kann man Schüler, die mal etwas „Modernes“ spielen wollen, auch für Jazz und Blues motivieren, immerhin eine Original-Domäne des Klaviers. Eine studierte Klavier-Lehrkraft sollte in der Lage sein, kleine Stücke aus diesem Bereich mithilfe der Standard-Zutaten selbst zu verfassen.

8. Zu Hause konnte ich das gut

Unterricht ist kein Zuckerschlecken

Keinen Satz bekommt eine Klavier-Lehrkraft im Laufe ihrer Lebens von vorspielenden Schülern öfter zu hören als diesen:

„Warum kann ich das jetzt hier nicht, zu Hause konnte ich das soooo gut!"

Daraufhin wirkt die Klavier-Lehrkraft beruhigend auf den Schüler ein und sagt ganz oft diese Sätze:

„Ging es denn zu Hause wirklich immer fehlerfrei?"
„Es ist normal, vor einem kritischen Lehrer Fehler zu machen."
„Ich kenne das, auf fremden Klavieren fühle ich mich auch unsicherer."
„Klavierspielen ist ein komplexer Vorgang. Da kommt viel zusammen."

Zwar hört der Schüler diese Worte, aber sie verpuffen schnell, und so verzweifelt er auch in der nächsten Stunde wieder:

„Warum kann ich das jetzt hier nicht, zu Hause konnte ich das soooo gut!"

Die ewige Differenz zwischen dem Spielen zu Hause und dem Spielen im Unterricht rührt daher, dass ein Schüler jedes Vorspiel im Unterricht als kleines Konzert empfindet. Das natürlicherweise bei einem „Konzert" auftretende Lampenfieber führt zu einer Handlungs-Blockade, die das Abrufen der Leistung erschwert (die man im trauten Zuhause in entspannter Stimmung spielend erbringt). Je mehr ein Schüler zu Hause geübt hat, desto größer ist seine Erwartungshaltung, dass die Stücke auch im Klavierunterricht klappen, denn er möchte die Früchte seiner Arbeit ernten und freut sich schon auf das Lob, das er bekommen wird. Gerade die fleißigsten Schüler erleben deshalb im Unterricht die größten Enttäuschungen.

Vorspielen vor einer kritisch zuhörenden Klavier-Lehrkraft ist immer mit Stress verbunden. Einem Schüler, der die ganze Woche über nichts getan hat, ergeht es im Unterricht kaum besser als dem fleißigen Schüler, denn in der Regel ist ihm seine Faulheit peinlich (eine erfahrene Klavier-Lehrkraft merkt schon in dem Moment, in dem der Schüler zur Tür hereinkommt, ob er geübt hat oder nicht). Bei einem ungeübt kommenden Schüler hat die Lehrkraft drei Optionen:

- Sie kann über das Nichtüben vollkommen hinwegsehen, also so tun, als wäre nichts und sofort beginnen, mit dem Schüler zu üben.

- Sie kann viel Verständnis für die Umstände des Schülers aufbringen und ihm damit eine Brücke bauen, dass er sich nicht so schämt.

- Sie kann den Schüler ermahnen, doch bitte zu Hause zu üben, sonst käme er nicht voran, und sie blieben immer beim gleichen Stück.

Wofür auch immer sich die Lehrkraft entscheidet, sie sollte jeden Schüler respektvoll behandeln und sich immer bewusst sein, dass der Klavierunterricht für den Schüler eine freiwillige Leistung ist, Woche für Woche durchaus mühsam und manchmal sogar verdrießlich. Versetzen wir uns in seine Lage:

- Der Schüler sieht sich genötigt, jede Woche absolut pünktlich zu sein, weil er sonst den Stundenplan der Lehrkraft durcheinander bringt.

- Der Schüler steht unter dem immensen Druck, der Lehrkraft möglichst gut vorzuspielen, ohne Gelegenheit sich vorher lang einzuspielen.

- Der Schüler muss sich nach jedem Vortrag eine Menge Kritik der Lehrkraft anhören, was ihn durchaus auch persönlich treffen kann.

- Der Schüler soll sich jede Menge Anordnungen und Änderungswünsche merken, mit denen er sein Klavierspiel zu verbessern hat.

- Der Schüler muss nach gefühlt kurzer Zeit relativ zügig vom Hocker aufstehen, um für den nächsten Klavierschüler Platz zu machen.

- Der Schüler erlebt, seine Noten zusammenpackend, dass er die Zuwendungen der Lehrkraft mit dem nächsten Schüler teilen muss.

- Der Schüler ist gehalten, für sämtliche Zumutungen pünktlich ein von der Lehrkraft festgelegtes Honorar zu zahlen, auch in Ferienzeiten.

9. Wie früh schon Klavier lernen
Vorschulkinder im Klavierunterricht

In den letzten Jahren werden immer mehr sehr junge Schüler zur Probestunde angemeldet, die noch nie eine Schule von innen gesehen haben. Seit polyglotte „Helikopter-Eltern“ schon ihre zweieinhalbjährigen künftigen Alleskönner zum Chinesisch-Unterricht schicken, damit sie in der globalisierten Welt frühzeitig *zuìxīn* sind (up to date), ist dieser Trend inzwischen auch beim guten alten Klavierunterricht angekommen.

Oft handelt es sich dabei um sogenannte „Kann-Kinder“, also Kinder eines Geburtsmonats, bei dem die Eltern frei entscheiden können, ob dem Sprössling schon im Alter von fünf Jahren oder lieber erst ein Jahr später die Zuckertüte beschert wird. Ist man einerseits der Ansicht, die Schule sei für das fünfjährige Kind noch zu früh, erscheint es auf der anderen Seite im Kindergarten unterfordert; deshalb muss in den Augen der Eltern eine Überbrückungs-Lösung her. In manchen „besseren Stadtvierteln“ ist deshalb der kognitive und motorische Fähigkeiten fördernde Klavierunterricht zum Geheimtipp avanciert. Da findet sich also ein fünfjähriges Wesen zur Probestunde ein, das nur etwas über 1 Meter misst und dessen Füße, wenn es auf der Klavierbank sitzt, ein gutes Stück über dem Boden baumeln.

Ist Klavierunterricht mit fünf oder sechs Jahren schon sinnvoll? Die Frage ist nicht generell zu beantworten. Wenn Eltern (die selbstverständlich immer nur das Beste für ihr Kind wollen) stolz erzählen, dass ihr Nachkomme unbedingt Klavier lernen möchte, dann sagt das rein gar nichts über seine Eignung aus. Woher soll der kleine Erdenbewohner, der noch keine sechs Weihnachten erlebt hat, eine Vorstellung davon haben, wie Klavierunterricht abläuft und was damit verbunden ist? Die Probestunde ist schließlich seine allererste Unterrichts-Situation. Werden Kinder dieses Alters zur Probestunde abgeliefert, sagt das also vor allen Dingen etwas über die Wünsche der Eltern aus.

Wie gut hat die Klavier-Lehrkraft selbst ihren allerersten Kontakt mit einem Klavierlehrer in Erinnerung? Daran kann sie ermessen, wie prägend diese frühesten Eindrücke am Klavier sind. Also geht sie mit dem schüchternen Menschenkind, das gerade erst gelernt hat, sich die Zähne zu putzen, sehr behutsam um. Die Hände des Fünfjährigen sind nicht breiter als drei Klaviertasten, und so können die ersten Gehversuche auf der Tastatur noch kein „normaler“ Klavierunterricht sein, sondern spielerische Übungen, die vermitteln sollen: Klavierspielen ist toll!

Das *Tasten-Such-Spiel* ist eine Möglichkeit ein Vorschulkind an das Klavier heranzuführen: Es wird das „C“ gezeigt („liegt links von den zwei schwarzen Tasten“), und dann fragt die Lehrkraft, ob es noch andere „C“ auf dem Klavier gäbe;.

Jeder Knirps sucht sogleich voller Eifer die anderen „C“ (man merkt, wie es hinter seiner kleinen Stirn arbeitet). Schließlich werden – mit sanfter Hilfe der Lehrkraft – die anderen „C“ gefunden. Die Frage *wie viele* „C“ es sind, führt zur erneuten Beschäftigung mit der Taste „C“, denn jedes Kind in dem Alter zählt gern. Zum Schluss wird jedes „C“ einmal zu einem kurzen einprägsamen Text silbenweise im Sprechgesang angeschlagen (Rhythmus ist von Anfang an wichtig), erst gemeinsam, dann kann der Steppke oder die Göre das schon alleine. Kinder behalten Texte sehr gut und ehe man sich's versieht, sind 15 Minuten rum. So geht es pädagogisch weiter. Und optimal ist es, im Rahmen des regulären Unterrichts innerhalb von 30 Minuten nach Tagesverfassung des Kindes flexibel zu sein, was sich in Absprache mit den Eltern regeln lässt.

Oft nehmen Kinder in der Anfangsphase geradezu abenteuerliche Sitzpositionen ein, trohnen zum Beispiel im Schneidersitz auf dem Klavierhocker, sitzen auf einem eingeschlagenen Bein oder knien gar – ein Verhalten, das ihrer natürlichen Gelenkigkeit und ihrem Bewegungsdrang entspricht. Eine Korrektur ist unnötig. Das wächst sich mit der Zeit von selber aus.

10. Wie spät noch Klavier lernen

Rentner und Alte im Klavierunterricht

Ältere Schüler tragen den Wunsch Klavierspielen zu lernen manchmal schon jahrzehntelang mit sich herum und nicht selten hört man, im Elternhaus sei damals nicht genug Geld für Instrument oder Unterricht vorhanden gewesen. Diese Erwachsenen befinden sich oft in einer Umbruchssituation. Typisch für Frauen ist, dass gerade die Kinder aus dem Haus sind und bei Männern das Eintreffen des Renten-Bescheids.

Häufig durchlaufen Erwachsene auch gerade einen Trennungs-Prozess, sind seit einiger Zeit verwitwet oder haben eine schwere Krankheit überstanden – jetzt sortieren sie ihr Leben neu und ihnen sind ihre alten Wünsche wieder eingefallen. Nachdem sie sich überwunden haben zur Probestunde zu kommen, sitzen sie kerzengerade auf dem Klavierhocker, blicken erwartungsvoll die Klavier-Lehrkraft an, und ihnen ist anzusehen, wie ihnen die Frage aller Fragen auf den Lippen brennt: „Kann man denn in meinem Alter noch Klavierspielen lernen?“

„Aber ja“, lautet einstimmig die Antwort aller Neurologen und Gehirnforscher. Sämtliche Gelehrten sind sich einig, dass das menschliche Gehirn ein Muskel ist, der bis zum Lebensende trainiert werden kann, Fremdsprachen, Jonglieren, EDV-Techniken, alles lässt sich im Alter noch erlernen, und Klavierspielen gehört selbstverständlich dazu. Als größtes Hindernis steht sich zuweilen der ältere Mensch selbst im Wege wenn er althergebrachte Sprüche verinnerlicht hat wie: „Was Hänschen nicht lernt, lernt Hans nimmermehr“ (völliger Unsinn).

Untersuchungen haben ergeben, dass sich bei Erwachsenen, die erstmals im Leben in die Tasten greifen, bereits nach 10 Minuten die elektrischen Verbindungen im Gehirn verändern, wobei sich die für Bewegung und Gehör zuständigen Arreale in besonderer Weise miteinander verflechten. Diese Verbindungen sind bei Best-Agern zunächst einmal nicht von besonderer Dauer, weil die Erinnerungen von Jahrzehnten eine Menge Platz in ihrem Gehirn beanspruchen, verfestigen sich aber nach fünf Wochen Klavierspielen sogar etwas stärker als bei jungen Menschen.

Menschen fortgeschrittenen Alters, die noch nie im Leben am Klavier gesessen haben, können durchaus auf gleiche Weise wie junge Klavieranfänger in die Welt des Klavierspiels eingeführt werden, das didaktische Vorgehen ist das gleiche. Allerdings muss die Ansprache bei älteren Menschen anders sein – wer Jahrzehnte erfolgreich in Beruf und Familie war, möchte mit all seiner Lebenserfahrung nicht wie ein unmündiges Kind behandelt werden. Andererseits erwartet die Generation 60 plus, dass eine Lehrperson in traditioneller Weise eine gewisse Autorität ausstrahlt, kommt man ihr allzu kameradschaftlich daher, ist es nicht das, was sie suchen. Manche älteren Herrschaften sind auch ein bisschen dickköpfig und lassen sich nur schwer etwas sagen, besonders wenn die Lehrkraft viel jünger ist als sie. Mit Fingerspitzengefühl herauszufinden, wie sie „ticken", ist die Grundlage erfolgreichen Senioren-Unterrichts. Diesen etwas kniffligen Aspekten beim Unterrichten älterer Semester stehen zahlreiche positive Faktoren gegenüber: Silver Ager betrachten vieles gelassener, haben die Ruhe weg, müssen nichts mehr beweisen, verfügen über ausreichend Zeit und sind nicht ständig von Beruf, Haushalt, Kindern abgelenkt. Oft empfinden sie es als großes Glück, im Alter noch mal mit etwas anzufangen, was immer in ihrem Hinterkopf schlummerte – das mitzuerleben, ist manchmal beglückend.

Einigen über 70-Jährigen bereitet es Schwierigkeiten, das Spiel der Finger und das parallele Notenlesen zu koordinieren, denn zum Beispiel bei größeren Sprüngen muss man ja dauernd mit den Augen zwischen Notenblatt und Klaviatur hin und her hüpfen. Hier schließt sich der Kreis zwischen sehr jungen und sehr alten Schülern, denn weil sie noch nicht so gut lesen können, haben die Kleinen exakt die gleichen Probleme wie die Alten; so ist der mitlaufende *Notenzeiger* in beiden Altersklassen gleichermaßen hilfreich (siehe Kapitel 35: Rhythmus- und Notenzeiger).

Hochbetagte sind oft noch fingerfertig, haben aber trotz dicker Brille Augenprobleme; sie sind sehr dankbar dafür, wenn man ihnen die Noten vergrößert (in jedem Copy-Shop möglich). Haben ältere Semester in ihrer Kindheit schon einmal Klavierunterricht genossen, fällt ihnen der Anfang am Klavier etwas leichter – erstaunlich, dass 50 oder gar 60 Jahre zurückliegendes Tun noch solche Auswirkungen hat. Selbst wenn sie die Stücke von anno dazumal nicht mehr perfekt beherrschen, zeigen die Finger der einstigen Klavierschüler bei weitem nicht so wild in alle Richtungen wie die Finger Gleichaltriger, die völlig neu beginnen. Ältere Schüler, die vor langen Jahren einmal gespielt haben, sind oft frustriert, wenn sie Stücke, die sie früher gut konnten (oder meinen gut gekonnt zu haben), heute kaum noch zustande kriegen. Sie überschätzen sich und wollen viel zu schwere Klavierwerke spielen, auf keinen Fall „Kindergarten-Lieder", spüren ihre Grenzen und ärgern sich – es ist ja auch nicht einfach damit umzugehen, dass man etwas nicht mehr so im Griff hat wie früher.

Gelegentlich meinen ältere Schüler, allzu penible Genauigkeit beim Spielen lohne sich nicht mehr in ihrem Alter, so viel Zeit hätten sie gar nicht mehr, ihnen genüge es jetzt nur noch „just for fun" zu spielen, noch mal bei „Adam & Eva", also mit einer Klavierschule, anzufangen dazu hätten sie wirklich keine Lust mehr. Am besten gibt die Klavier-Lehrkraft daraufhin keine großen Erklärungen ab, sondern spielt ihnen mit besonderem Ausdruck und beseelter Hingabe eine Auswahl „leichter" Stücke aus der Klavierschule vor und demonstriert damit, dass das Glück beim Klavierspielen nicht ausschließlich in Stücken liegt, die nur mit zirzensischer Fingerfertigkeit zu meistern sind, sondern dass es unendlich viele bezaubernde Miniaturen gibt, die die Schüler noch gar nicht kennen; diese optimal wiedergeben zu können, mache mit Sicherheit zufriedener als das Bemühen um Klavierstücke, für die einem noch nicht die erforderliche Spieltechnik zur Verfügung steht.

II

Lehrer

11. Ich hör' den ganzen Tag Musik

Piloten hören den ganzen Tag Triebwerke

Was sind eigentlich die „Traumberufe“ der Deutschen?

An der Spitze steht stets der Arzt

Der hat eine ewig lange Ausbildung und muss viele Jahre 36-Stunden-Dienste im Krankenhaus leisten, bis er mit Mitte 30 endlich anfängt ordentlich zu verdienen. Und das sind seine „Kunden“: hier und da simulierend, um den „gelben Schein“ zu bekommen, aber in der Mehrzahl gebrechliche, leidende, alte, vor sich hin siechende Menschen. Täglich beschäftigt sich der Traumberufler mit offenen Beinen, Husten, blutenden Wunden, diversen Ausscheidungen, Schmerzen, Gestank, Tod.

Als nächstes kommen Pilot und Stewardess

Beide Jobs zeichnen sich durch höchst unregelmäßige, partner- und familienfeindliche Arbeitszeiten aus. Diese Traumberufler atmen täglich stundenlang Kabinenluft, die mit Spuren von Kerosin versetzt ist. Macht der Pilot einen Fehler, wird's schnell lebensgefährlich, die Stewardess hat auch bei unverschämten Passagieren zu lächeln.

Direkt dahinter folgt gleich der Schauspieler

„Kein Beruf wird in den Medien so verzerrt dargestellt wie der Beruf des Schauspielers“, seufzte neulich ein bekannter Filmschauspieler (zum Beispiel weil Schauspieler-Verträge grundsätzlich befristet sind). Hat der Mime eine Rolle ergattert, sind seine Arbeitszeiten mehr als unregelmäßig und in den Drehwochen hat er null Privatleben. Darüber hinaus liegt das Durchschnittseinkommen dieser Traumberufler einiges unter dem der deutschen Arbeitnehmer, wenn er nicht gerade ein Weltstar ist.

Nicht zu vergessen der Fußballprofi

Frauen verdienen in diesem Metier auch bei Full-Time-Einsatz selten genug zum Leben. Ihre männlichen Kollegen kassieren zwar schon ab der 3. Liga gut bis sehr gut, jede Verletzung kann jedoch abrupt zur Arbeitsunfähigkeit führen. Spätestens ab Mitte 30 steht in diesem Traumberuf eine komplette berufliche Neuorientierung an.

Die Liste ließe sich um weitere „Traumberufe“ verlängern, die jedoch nur so lange ein Traum sind, wie man von ihnen träumt. Traumhaft ist jedoch, stellt man es richtig an, *dieser* Beruf: die freischaffende Klavier-Lehrkraft.

Die freischaffende Klavier-Lehrkraft ist privilegiert,

... weil sie den ganzen Tag mit Menschen zu tun hat, die eine Positiv-Auswahl darstellen: guterzogene Kinder, junge Menschen mit besten Zukunftsaussichten, Erwachsene mit höflichen Umgangsformen, Senioren, die sich bewundernswert fit halten.

Die freischaffende Klavier-Lehrkraft ist privilegiert,

... weil sie täglich etwas Schönes hört, das ihr sehr am Herzen liegt: Klaviermusik! Dass ihre Schüler Fehler machen, kann ihr die Freude daran nicht verderben, außerdem gibt es immer wieder Schüler, die so gut spielen, dass es ein Genuss ist, ihnen zuzuhören.

Die freischaffende Klavier-Lehrkraft ist privilegiert,

... weil sie ihren Tag in der eigenen Wohnung in angenehmer, vertrauter Umgebung verbringt, die sie ganz nach persönlichem Geschmack eingerichtet hat (und muss zum Beispiel nicht in einem nüchternen Großraumbüro sitzen).

Die freischaffende Klavier-Lehrkraft ist privilegiert,

... weil sie gesund lebt, da sie nicht den ganzen Tag unbeweglich am Rechner sitzt, sondern ständig engagiert mit dem Oberkörper wippt, mit den Armen rudert, mit den Füßen den Takt klopft und darüber hinaus alle 30 Minuten aufsteht, um den nächsten Schüler zu empfangen (wie vom Orthopäden gefordert).

Die freischaffende Klavier-Lehrkraft ist privilegiert,

... weil sie geistig beweglich bleibt, da sie sich täglich immer wieder auf andere Schüler einzustellen hat, sich bei einem längeren Klavierstück merken muss, was alles dazu zu sagen ist und niemals eine der häufigen Termin-Änderungen vergessen darf.

Die freischaffende Klavier-Lehrkraft ist privilegiert,

... weil sie selbstbewusst und von Stolz erfüllt ist, da sie es schafft, sich auf dem freien Markt zu behaupten, wozu ein hohes Maß an Selbstdisziplin gehört, die ihrem Alltag einen Rahmen gibt und ihr ganzes Leben positiv beeinflusst.

12. Die schlaue Klavier-Lehrkraft
Filmstar, Bundeskanzler, Papst tun es

Die schlaue Klavier-Lehrkraft hört nach dem Examen nicht auf zu üben und tut sich damit doppelt etwas Gutes:

... weil es immer noch ein glückliches Erfolgserlebnis ist, durch ganz viele kleine Schritte mit Geduld einen Gipfel zu erreichen, der einem am Anfang wie ein unbezwingbarer Berg vorkam.
... weil sie dann mehr Erfolg im Beruf hat, denn wenn das Üben nicht nur eine Erinnerung an die Studienzeit ist, unterrichtet sie authentischer und mit mehr Verständnis für ihre Schüler.

Den Schülern mitzugeben, wie befriedigend es ist, nach langem geduldigen Üben schließlich ein schweres Klavierstück zu beherrschen, ist vielleicht die Hauptaufgabe einer Lehrkraft – aber diese Erfahrung ist nur glaubhaft und mit letzter Intensität zu vermitteln, wenn man sie Tag für Tag noch selber macht. Auch ein *Klavierlehrer* bleibt ja lebenslang *Klavierspieler*, niemals ist man „fertig" als klavierspielender Mensch. Das Klavierüben ist eine innere Haltung, die lebenslang alle verfügbaren geistigen und seelischen Kräfte fordert, es reicht nicht, über das Üben nur zu dozieren. Man muss sich selbst immer wieder dieser Herausforderung stellen.

Auch die Eltern sind da mit einzubeziehen. Das immer wieder vorgebrachte „*Ich* habe ja leider keine Zeit Klavier zu üben, aber meinem *Kind* möchte ich das ermöglichen", ist wenig glaubhaft und eher der Bequemlichkeit geschuldet. Hat denn ein Jugendlicher wirklich viel mehr Zeit Klavier zu üben als ein Erwachsener?

Ein Jugendlicher
... sitzt täglich bis zu sieben Stunden auf der Schulbank.
... hat danach für viele Fächer Hausaufgaben zu machen.
... muss sich ständig auf Klassenarbeiten vorbereiten.
... soll ja einmal pro Woche nachmittags Sport betreiben.
... will wenigstens ab und zu mal mit Freunden abhängen.

Nicht durch ständiges Ermahnen bringen Eltern ihre Sprösslinge zum Klavierüben, sondern durch eigenes Verhalten (wie auch sonst in der Erziehung). Bekommt jemand von frühester Kindheit an mit, wie einer in der Familie regelmäßig Klavier übt, entsteht eine tiefe Prägung, das Klavierüben wird zu etwas „Normalem". Aber hat man als Erwachsener überhaupt Zeit Klavier zu üben? Beispiele:

Ein vielbeschäftigter Filmstar

Im September 2014 wurde dem bekanntem Filmschauspieler Heiner Lauterbach (bisher 69 Filme) auf der Internationalen Musikmesse in Frankfurt vom Bundesverband Klavier die Auszeichnung „Klavierspieler des Jahres“ verliehen. Der Geehrte gab zu Protokoll: „Klavierspielen ist für mich das beste Training für den Geist, eine Art Gehirnjogging, und das Klavier ist die Mutter aller Instrumente.“ Lauterbachs Frau bestätigte, dass ihr Gatte regelmäßig Klavier übe.

Ein regierender Bundeskanzler

Helmut Schmidt nahm 1981 während seiner Zeit als Bundeskanzler unter anderem Mozarts F-Dur-Konzert KV 242 für drei Klaviere zusammen mit Justus Frantz und Christoph Eschenbach auf Schallplatte auf – und das in politisch stürmischer Zeit (überall im Land Demonstrationen gegen den „Nato-Doppelbeschluss“, ein Treffen mit Erich Honecker, umstrittene Haushaltskürzungen) – tagsüber die Weltlage, abends vor dem Schlafengehen das Klavierspielen, zwei-, dreimal in der Woche.

Ein Papst in Amt und Würden

Joseph Ratzinger spielte als Kurienkardinal gerne Klavier (in einem seltenen Video sieht man ihn ein Praeludium von Bach spielen). Als er 2005 zum Papst gewählt wurde, brachte er bei seinem Umzug in den Apostolischen Palast sein Klavier mit. Auch als Benedikt XVI. mit engem Terminplan pflegte er sich stets nach dem Mittagessen mit Werken von Mozart, Schubert und Bach zu entspannen, in seiner Sommerresidenz Castelgandolfo stand ein gespendeter Steinway.

Niemand auf der Welt kann behaupten, nicht die Zeit für 30 Minuten Klavierüben in der Woche zu haben (womit schon Fortschritte zu erzielen sind). Aber der Mensch belügt sich gern selbst: „Ich habe keine Zeit zum Klavierüben“ bedeutet nichts anderes als „Mir sind andere Dinge wichtiger“ (zum Beispiel Krimis im Fernsehen, Facebook, YouTube-Videos, Shopping, planloses Internet-Surfen, Computerspiele).

13. Die dumme Klavier-Lehrkraft

Nicht gerade begabt, aber gute Lehrkraft

Anton

Als *Musikstudent* war Anton sehr begabt, ihm fiel alles in den Schoß, er musste nicht so viel üben. Am Ende seines Musikstudiums erhielt er (wie zu erwarten) eine sehr gute Examensnote.

Als *Klavierlehrer* fällt Anton das Unterrichten mitunter schwer. Er kann sich nicht so gut in die Klavierschüler hineinversetzen, die sehr lang an einem Klavierstück üben müssen. Bei ihm war das damals wirklich ganz anders.

Richtig glücklich ist Anton heute nicht als Klavierlehrer.

Antonia

Als *Musikstudentin* war Antonia nicht besonders begabt. Sie musste viel mehr üben als Andere. Am Ende Ihres Musikstudiums erhielt sie (überraschend) eine sehr gute Examensnote.

Als *Klavierlehrerin* fällt Antonia das Unterrichten leicht. Sie kann sich ziemlich gut in die Klavierschüler hineinversetzen, die recht lang an einem Klavierstück üben müssen. Bei ihr war das genauso.

Antonia ist heute eine sehr glückliche Klavierlehrerin.

Anton und Antonia sind nur Musterbeispiele. Aber etwas Wahres ist dran: Das Unterrichten fällt leichter, wenn man sich selber alles hart erarbeiten musste. Natürlich werden nicht alle begabten Musikstudenten zu unglücklichen Lehrkräften und alle weniger begabten Musikstudenten zu glücklichen Lehrkräften. Mit wachsender Unterrichts-Routine und Reflexionsfähigkeit kann sich eine Lehrkraft, Liebe zum Beruf vorrausgesetzt, im Laufe der Zeit immer besser auf Schüler einstellen. Der persönliche Unterrichts-Stil ist nichts Statisches.

So wie sich die Lehrkraft verändert, verändert sich auch ihr Unterrichts-Stil. Nach jeden großen Ferien unterrichtet man wieder ein wenig anders. Es ist durchaus spannend, das an sich selbst zu beobachten! Bei einem übermütigen Erstklässer verhält sich die emphatische Klavier-Lehrkraft ganz anders als bei dem verschüchterten Mädchen, bei dem halbwüchsigen Gymnasiasten, dem praktischen Arzt von 45

Jahren oder der pensionierten Lehrerin. Von Stunde zu Stunde ist die Lehrkraft eine völlig andere, immer wieder nimmt sie eine neue Rolle ein. Eine Lehrkraft beeinflusst die Schüler, aber die Schüler beeinflussen auch die Lehrkraft. So entdeckt man auch nach vielen Jahren des Unterrichtens oft noch neue Seiten an sich selbst.

Klavier-Lehrkräfte, die sich auf dem freien Markt besonders gut behaupten, sind auffallend einfühlsam und selbstkritisch. Ihre hohe Sensibilität hat allerdings eine Kehrseite: Sie werden häufig vom *Impostor-Syndrom* heimgesucht. Das 1978 erstmals erwähnte, seither mehrfach wissenschaftlich erforschte psychologische Phänomen soll annähernd 40 % aller Karriere-Menschen betreffen und wurde etwas öfter bei Frauen als bei Männer beobachtet. Es besagt, dass objektiv überaus erfolgreiche Leute manchmal übermäßig von Selbstzweifeln geplagt sind und permanent das nagende Gefühl in sich tragen, ihren Erfolg nur erschlichen und nicht verdient zu haben. Insgeheim halten sie sich für Hochstapler und leben in ständiger Angst, als Betrüger entlarvt zu werden. Bei ihnen heißt es nicht „Große Klappe, nichts dahinter", sondern „Kleine Klappe, viel dahinter".

So kann es passieren, dass sich die im Stadtteil beliebte, erfolgsverwöhnte und gutverdienende Klavier-Lehrkraft neben einem Schüler sitzend verstohlen fragt: „Was mache ich hier eigentlich, wie komme ich dazu, anderen Menschen zu sagen, was richtig und falsch ist und wieso erdreiste ich mich, auch noch Geld dafür zu nehmen?" Als beste Therapie gegen das (auch „Hochstapler-Syndrom" genannte) Phänomen gilt, zu erkennen, dass es überhaupt existiert.

14. Die ältliche Klavier-Lehrkraft

Hat 15 Millionen falsche Töne im Ohr

Eine Klavier-Lehrkraft hört

... im Mittel mindestens alle zehn Sekunden	1	falschen Ton.
... pro halbe Stunde kommen zusammen	180	falsche Töne.
... an einem Sieben-Stunden-Tag werden daraus	2.520	falsche Töne.
... bei fünf Arbeitstagen pro Woche sind das	12.600	falsche Töne.
... macht bei 40 Unterrichtswochen im Jahr	504.000	falsche Töne.
... was sich in 30 Jahren summiert auf insgesamt	15.120.000	falsche Töne.

Wie aber wirken 15 Millionen falsche Töne im Ohr eines Menschen, der einst ein Musikstudium aufnahm, weil er Klaviermusik liebte? Sind Persönlichkeits-Veränderungen bei einer Person zu erwarten, die viele Jahre des Unterrichtens hinter sich hat? Muss sie nicht zwangsläufig ein wenig sonderbar werden? 15 Millionen falsche Töne im Hirn können nicht ohne Wirkung bleiben, müssen unweigerlich zu seltsamen Angewohnheiten, merkwürdigen Allüren und Spleens führen, oder? Die Kreativen in Sachen Literatur und Film jedenfalls sehen das so. Stets ist bei ihnen das gleiche Klischee zu besichtigen, sei es beim britischen Regisseur John Schlesinger („Madame Sousatzka"), der Autorin Elfriede Jelinek aus Österreich („Die Klavierspielerin") oder der amerikanische Filmemacherin Chris Kraus („Vier Minuten").

Längergedientes Lehrpersonal am Klavier ist immer

... unverheiratet und solo	=	hat niemanden abbekommen
... ganz schön verklemmt	=	no Sex, da war auch nie was
... vom Leben enttäuscht	=	nicht Pianist geworden
... immer etwas verbissen	=	allein schon wegen eins bis drei
... altmodisch angezogen	=	ist dann wohl so ziemlich egal
... ein bisschen schrullig	=	wird man nun mal in dem Job

Entspricht dieses von Literatur und Film oft gezeichnete Bild eines älteren Klavierlehrers der Realität?

Bei Lehrern an allgemeinbildenden Schulen soll sich ja nach jahrelangem Unterrichten oft Grund-Frust und General-Erschöpfung entwickeln, jedenfalls sind bei ihnen überdurchschnittlich viele Burnouts und Früh-Pensionierungen zu verzeichnen. Sowieso müssen Lehrer mit dem Ruf leben, schlimme Jammerlappen, besserwisserische Privilegien-Künstler und Halbtags-Arbeiter mit unverschämt viel Ferien zu sein – natürlich auf Kosten von Leuten, die in der Wirtschaft „richtig" arbeiten. Auf solche Ressentiments einzugehen, lohnt nicht, auch andere Berufe können ein Lied vom ewigen Bashing singen (Banker, Politiker, Versicherungsvertreter).

Burnout und frühzeitiges Beenden der Lehrtätigkeit kommen dagegen in *einer* Lehrer-Gruppe nicht so häufig vor, und das sind die privaten Klavier-Lehrkräfte. Im Gegenteil, alte Klavierlehrer, die gar nicht daran denken, mit dem Unterrichten aufzuhören, sind typisch für diesem Berufsstand. Zum Teil mag das daran liegen, dass Privatlehrer nicht genug vorgesorgt haben – vielleicht liegt es aber auch an der Möglichkeit, selbst zu bestimmen, wie viele Stunden man arbeiten will, zwei, drei Stunden Unterrichten pro Tag schafft auch noch ein betagter Mensch, und womöglich ist dieser Job immer noch ziemlich befriedigend, macht Spaß und tut einfach gut. Gründe auch nach vielen Jahren immer noch weiterzumachen, gibt es zuhauf:

Unterrichten am Klavier ist ein großartiges Gedächtnistraining. Man muss sich beim Unterrichten am Klavier sehr viel merken: die vollständigen Namen Dutzender Schüler, ihre persönlichen Vorlieben und Abneigungen, man muss immer wissen, was man mit ihnen in der letzten Stunde gemacht hat und wie viel man ihnen zumuten kann. Während der Schüler das komplette Stück vorspielt, hört die Lehrkraft konzentriert zu und notiert innerlich alles, was sie sagen wird, wenn sich der Schüler nach dem Vorspiel herumdreht und einen Kommentar zu seinem Spiels erwartet: War ein falscher Ton dabei? Stimmten die Tempi? Hörten sich alle Rhythmen richtig an? Eigneten sich sämtliche Fingersätze? Wie waren Körper-, Hand- und Fingerhaltung? Gab es etwas zu verbessern am Anschlag? Wurden die Zeichen forte, piano, crescendo beachtet? Überzeugte das Ritardando am Schluss? Wie waren eigentlich der Ausdruck, die innere Beteiligung?

Zudem ist man in diesem Beruf am Puls der Zeit und erhält täglich in der denkbar direktesten Konfrontation, dem Einzelunterricht, Einblick in die Gedanken, Wünsche, Ängste und Sehnsüchte mehrerer Generationen auf der Klavierbank. Und ist die Lehrkraft eines Tages in Ehren ergraut, ist sie niemals einsam, sondern genießt das Klingeln an der Tür – wobei es in ihrer Hand liegt, wie oft es klingelt und wer überhaupt kommt. Wenn dann das Lächeln eines kleines Kindes, das zu seiner 10-mal so alten Klavier-Lehrkraft aufschaut, verrät, dass es gerne zu kommt, ist das ein glücklicher Moment. Jugendliche, die aufgrund der zugewandten Art ihres Klavierlehrers Vertrauen gefasst haben, erzählen frei Haus, was gerade „abgeht", erwachsene Klavier-Schüler sind in der Regel kultivierte Menschen mit „Herzensbildung".

Nach jahrelanger Tätigkeit hat man beim Unterrichten am Klavier schon alles erlebt und erkennt aus Erfahrung frühzeitig, wenn eine Unterrichtsstunde aus dem Ruder läuft. Deshalb gewöhnen sich Lehrkräfte manchmal eine Art vorausschauender Strenge an, um Disziplinlosigkeit schon im Ansatz zu unterbinden. Diese Strategie birgt die Gefahr in sich, übers Ziel hinauszuschießen und stets ein wenig ungnädig und grantig rüberzukommen – dann ähnelt man tatsächlich sehr schnell dem zu Anfang geschilderten Zerrbild einer in die Jahre gekommenen verhärmten Klavier-Lehrkraft. Diesem Schreckensbild entgeht man nur durch regelmäßige Selbstkontrolle. Immer wieder stelle man sich diese Fragen:

- Lächele ich oft im Unterricht oder gucke ich meistens streng?
- Gibt es Anzeichen, dass die Schüler gerne zu mir kommen?
- Wird jeden Tag in meinen Klavierstunden herzhaft gelacht?
- Schildern mir Schüler Dinge, die sie sonst keinem erzählen?
- Habe ich ein gutes Gefühl, wenn ich an meine Schüler denke?
- Höre ich noch mit Freude die ewig gleichen Klavierstücke?
- Übe ich selbst immer noch völlig neue Klavierstücke ein?
- Gehe ich auf Stücke ein, die die Schüler gerne spielen würden?
- Bin ich offen für jede Art Musik oder bestehe ich auf Klassik?
- Unterrichte ich immer gleich oder ändert sich mein Stil noch?

Zehnmal *ja*?

Dann besteht keinerlei Gefahr, so zu werden, wie Klavierlehrer oft in Film und Literatur beschrieben werden.

15. Beliebt sein ist anstrengend
Von der schweren Bürde, gemocht zu werden

Auf dem Weg in den Supermarkt nimmt einen die freundliche Frau Meier in Beschlag: „Sagen Sie mal, wie macht sich denn der Alexander so? Ich weiß ja, er übt zu wenig, hat aber auch immer viel Hausaufgaben auf." Auch der Gang zur Post geht selten ab ohne Kontakt zu Klavierschülern oder ihren Eltern, immer wieder wird man auf dem Bürgersteig begrüßt, kleine Kinder rufen freudig von der anderen Straßenseite herüber, beim Sonntagsspaziergang auf der Promenade wird man erkannt, beim Überqueren des Zebrastreifens leutselig angehupt und regelmäßig triumphieren Kinder im Unterricht: „Ich hab' Sie neulich auf der Straße gesehen!!" So ist das, wenn man lange Zeit, vielleicht sogar Jahrzehnte, an der gleichen Adresse unterrichtet, man wird *die* Klavier-Lehrkraft im Ort und ist am Ziel angelangt:

- Die Unterrichts-Wohnung liegt in einem „besseren" Stadtteil.
- Die Klavier-Lehrkraft ist landaus landein beliebt und bekannt.
- Über die Jahre hat sich ein großer Kundenstamm entwickelt.
- Die Ein-Personen-Musikschule erhält laufend neue Anfragen.
- Der Stundenplan mit den Schülern platzt aus allen Nähten.

All das ist sehr in Ordnung, die Klavier-Lehrkraft macht ihre Arbeit gerne, es ist ein wunderbares Gefühl so gut anzukommen und mal wieder mitzukriegen, dass ein Schüler nach dem Unterricht pfeifend die Treppe herunterspringt, besser könnte es nicht laufen – wenn sich die Klavier-Lehrkraft nicht ab und zu eine Veränderung wünschen würde, bekanntlich ist der Mensch ja nie zufrieden.

Vielleicht noch einmal etwas ganz Anderes anfangen? Nochmal so richtig durchstarten? Ein völlig anderer Job? Gedanken, die oft gerade in dem Moment auftauchen, in dem das Geschäft besonders floriert, Gedanken, die kein Klavierschüler jemals mitbekommt, nicht mitbekommen darf.

Beliebt sein ist anstrengend, jedermann erwartet, dass die erfahrene Klavier-Lehrkraft auch mit den am heftigsten pubertierenden Klavierschülern klarkommt (solche Schüler werden sogar von der örtlichen Städtischen Musikschule ab- und in der Ein-Personen-Musikschule wieder angemeldet, weil man weiß, dass diese Klavier-Lehrkraft wirklich mit *jedem* klarkommt, die *kann* das einfach). Und die in dieser Rolle gefangene Lehrkraft tut jeden Tag alles dafür, dass das so bleibt. Sie genießt ihre Stellung und leidet gleichzeitig unter ihr. Je mehr sie sich engagiert, desto tiefer steckt sie in dem kleinen Bühnenstück, der beste Klavierlehrer der Welt zu sein, wofür sie sich Tag für Tag verausgabt und damit auch zum Produkt ihrer Schüler wird.

Ein Dasein als selbstständige Klavier-Lehrkraft lässt sich nicht nebenbei erledigen. Bestehen kann man in freier Wildbahn nur, wenn man den Beruf mit vollem Einsatz betreibt und dabei ein wenig von seiner Seele abgibt. Beliebtheit fordert und hat notabene Suchtpotenzial, denn so viel direkte Anerkennung von Jung und Alt erhält man selten (was sich auch in Heller und Pfennig ausdrückt). Im Hintergrund aber lauert immer das Bewusstsein, aus dieser Mühle wohl nie wieder herauszukommen. Je tiefer man in diesem Business drinsteckt, desto öfter verspürt man das Bedürfnis einfach auszubrechen, mir nichts dir nichts aufzuhören.

Diese Anwandlungen verschwinden jedoch so schnell wie sie gekommen sind, allein schon aus Verantwortung gegenüber den Schülern, ganz zu schweigen vom Zwang Geld verdienen zu müssen, und schon freut man sich wieder auf all die lächelnden Gesichter, die die Treppe hochkommen.

16. Der Typ macht mich aggressiv
Herrn Z. kann ich gar nichts vorwerfen

Donnerstags um 10:30 Uhr erscheint immer der ältere Schüler Herr Z. zum Klavierunterricht. Herr Z. ist höflich, als Mensch auf den ersten und auch auf den zweiten Blick in keiner Weise unangenehm, Herr Z. kommt immer pünktlich und hat noch nie vergessen zu zahlen, und doch gerate ich jede Woche beim Unterrichten von Herrn Z. wieder in reizbare Stimmung. Natürlich lasse ich mir nicht das Geringste anmerken, bleibe allzeit freundlich und geduldig, meine Stimme klingt umgänglich und zugewandt (siehe Kapitel 39: Der Klang der Lehrerstimme), ich bewahre professionell Haltung. Was ist da los?

Während Herr Z. nicht schlecht das „Kleine Praeludium in F-Dur“ spielt, frage ich mich unablässig, was der Grund für meine heute, Donnerstag, 10:40 Uhr, mal wieder grantige Stimmung ist. Es kostet wirklich viel Kraft, nach außen hin gelassen zu bleiben. Dieser Mensch (jetzt hat er auch noch ein sehr schönes kleines ritardando hingekriegt!) löst offenbar etwas in mir aus, wofür er nichts kann. Noch mal: Herr Z. verhält sich vollkommen korrekt, ich kann keinerlei Fehlverhalten oder irgendeine besondere Auffälligkeit an ihm feststellen, es gibt objektiv keinen Grund für meinen inneren Widerwillen – und trotzdem, der Widerwille ist da.

Ich lobe mich schon mal für meine Selbsterkenntnis, dass mein Missbehagen in mir selbst begründet ist. Kann ich was für meine Gefühle? Nein, aber als Profi muss ich sie unter Kontrolle behalten und nach den Gründen für meine Voreingenommenheit forschen. Leicht ist es nicht, umgehend sämtliche Sigale aus dem Unterbewusstsein einzuordnen, aber versuchen muss ich es. Spült Herr Z. eine schlechte Erfahrung aus einer Vergangenheit hoch? Sieht er ein bisschen aus wie ein unliebsamer Zeitgenosse von früher, spricht er wie dieser, hat er eine ähnliche Art sich zu bewegen? Manchmal dauert es lange, bis man darauf kommt, dann gräbt das Gedächtnis plötzlich eine Erinnerung aus. Dann muss man sich immer wieder sagen, dass der arme Herr Z. nicht das Geringste mit meinen negativen Aufwallungen zu tun hat und versuchen, ihn in neuem Lichte zu sehen.

Aggressionen auslösen kann auch ein Schüler, der jede Woche wieder die gleichen Fehler macht. Ich schreibe dem Schüler zum Beispiel im 3. Takt einen Fingersatz hin, den ich mit ihm ausprobiert habe, lasse ihn den 3. Takt mehrmals spielen und der Schüler versichert mir treuherzig, dass diese Stelle ja mit diesem Fingersatz viel einfacher zu spielen sei ... und nächste Woche verwendet derselbe Schüler im 3. Takt weiterhin den alten, unbrauchbaren Fingersatz ... und zwei Wochen benutzt er immer noch diesen alten ganz und gar unmöglichen Fingersatz ... und drei Wochen später – ist es die Möglichkeit – führt er zum Donnerwetter immer noch diesen blöden alten Fingersatz vor! Aus welchem Grunde tut der Schüler das? Fehlt es ihm an Intellekt? Ist ihm die Sache nicht wichtig genug? Macht er das vielleicht extra? In jedem Fall wird meine Geduld Woche für Woche auf eine harte Probe gestellt. Ist es erlaubt, jetzt mal langsam ungehalten werden? *Nein*! Ich sollte dem Schüler dafür dankbar sein, die Dehnbarkeit meines Geduldsfadens zu überprüfen. Schaffe ich es immer noch bei seinem weiterhin indiskutablen Fingersatz die Liebenswürdigkeit in Person zu bleiben und meine Stimme („bitte nehmen Sie den Fingersatz, den wir besprochen haben") kein bisschen beben zu lassen? Bin ich immer noch ein Musterbeispiel überirdischer Geduld?

Tage gibt es, an denen ich Aggressionen in mir aufsteigen fühle, weil *alle* Schüler weit unter ihrenm eigentlichen Können spielen. Kann das sein? Handelt es sich vielleicht um einen Fall von kollektiver „Meteopathie" (Leistungsabfall aufgrund von Wetterfühligkeit)? Unwahrscheinlich! Dass *alle* Schüler auf einmal schlecht spielen, ist eher ein Zeichen für eine unentspannte Lehrkraft, die ihre Unzufriedenheit auf ihre Schüler überträgt. Womit wieder das unbequeme Thema Selbstwahrnehmung ansteht. Schüler machen Fehler, jede Unterrichtsstunde, jede Unterrichtsminute. Wer das nicht aushält, hat den Beruf verfehlt!

17. Ich wollte mal auf die Bühne
Nun bin ich halt Klavierlehrer geworden

Das Kind hat oft am Klavier gesessen, schon wegen des Beifalls, den die Großeltern überschwänglich spendeten, wenn sie zu Besuch waren in einem Elternhaus, in dem vorzugsweise klassische Musik gehört wurde. Der Spössling übernahm die Vorliebe der Eltern, und das frühe Faible für Bach, Schubert, Chopin war ein Alleinstellungs-Merkmal. Die Aufforderung vom Musiklehrer, mal etwas auf dem alten Flügel im Musikraum vorzuspielen, brachte sogar Anerkennung von den Heavy-Metal-Fans in den Kutten mit den Motörhead-Stickern.

Zweite und dritte Plätze beim Regional-Wettbewerb „Jugend musiziert" waren ein Ansporn, noch mehr zu üben, und im Hinterkopf keimte die ganze Zeit der geheime Wunsch, Pianist zu werden – was für ein Traum, Leuten in großen Sälen etwas vorzuspielen und damit auch noch Geld zu verdienen!

Natürlich eine Illusion, denn alle großen Pianisten waren „Wunderkinder", die schon mit sieben (Arthur Rubinstein) oder acht Jahren (Wilhelm Backhaus) ihr erstes Konzert gaben. Trotzdem war da der Drang, immer weiterzuüben. Mit 18 auf einem beachtlichen Spielniveau angekommen, war wider besseren Wissens der geheime Wunsch nach dem Podium immer noch existent – eigentlich ganz natürlich, wer viel übt, will auch zeigen, dass er viel kann. Immerhin gab es eine zweitbeste Möglichkeit, dem großen Traum möglichst nahe zu kommen: die pädagogische Variante.

Das wohlwollende Nicken des Dekans nach dem Vorspiel an der Musikhochschule bedeutete: Aufnahmeprüfung bestanden, was für ein Triumph! Während des Studiums gab es bei den regelmäßigen Mittwoch-Mittags-Konzerten die aufregende Gelegenheit, sich vor einem denkbar fachkundigen Publikum zu beweisen; das traute sich noch lang nicht jeder Musikstudent, entsprechend zittrig wurden die Stufen zum Podium bestiegen. Aber nach den Lorbeeren solcher Auftritte wurde der verstohlene Gedanke „*Wer es hier schafft, der schafft es vielleicht auch anderswo*", immer wieder schnellstens gedämpft durch das, was seit dem ersten Semester die Runde machte: Wer auf dem Podium erfolgreich sein will, muss spätestens im Alter von vierzehn Jahren selbstredend auswendig beherrschen:

- Bachs Wohltemperiertes Clavier
  (Das „Alte Testament" des Klavierspiels, 96 Stücke)
- sämtliche Sonaten Beethovens
  (Das „Neue Testament" des Klavierspiels, 102 Stücke)
- alle Etüden Chopins
  (Die „Magna Charta" des Klavierspiels, 27 Stücke)

Das sind 872 Seiten Klaviermusik allerhöchsten Schwierigkeitsgrades! Eine klare Ansage an jeden Klavierstudenten und wies ihm mitleidlos den gebührenden Platz in der Hierarchie der Virtuosen: Gegen die wahren Tastenlöwen war er trotz zehntausender Stunden Üben ein *Nobody*!

Wie hätte denn das Leben ausgesehen, wenn der große Traum in Erfüllung gegangen wäre? Zur Kinderzeit gab es in der Nachbarschaft den Sohn eines Pianisten. Der sah seinen Vater nie, der war ständig auf Reisen – natürlich alleine, denn welcher Partner macht schon jede Konzertreise mit, zumal der Pianist am Tag des Auftritts nicht gerade gesprächig ist. War der Pianisten-Vater dann mal zu Hause, übte er sieben Stunden am Tag im Keller und durfte dabei keinesfalls gestört werden. Tatsächlich haben viele Pianisten soziale Defizite.

Wie sieht dagegen das Leben einer selbstständigen Klavier-Lehrkraft aus? In den eigenen vier Wänden wird sie täglich von vielen wohlerzogenen Menschen aller Altersklassen, die ihr seit Jahren vertraut sind, freudig begrüßt. Sie wird als Autorität geachtet, die Schüler lassen sich von ihr gerne etwas sagen, und obendrein erhält sie fortlaufend Einblicke in sehr verschiedene Lebenswelten. Ist die Klavier-Lehrkraft ein an allem und jedem interessierter offener Mensch, kann es für beide Seiten nicht glücklicher laufen. Ist sie ihren Schülern im Herzen zugetan, bekommt sie das aus strahlenden Augen doppelt und dreifach zurückgezahlt.

18. Beruflich höre ich immer zu

Privat möchte ich nicht zugetextet werden

Die Rollen im Klavierunterricht sind klar verteilt: Der Schüler spielt Klavier oder redet, die Lehrkraft hört zu und leistet

... *höfliches* Zuhören,
wenn der Schüler erklärt, warum er wieder nicht üben konnte.

... *geduldiges* Zuhören,
wenn der Schüler wortreich etwas aus seinem Leben erzählt.

... *kompetentes* Zuhören,
wenn der Schüler vorspielt, was er zu Hause fleißig geübt hat.

Fast in jeder Unterrichtsstunde erzählen Schüler von dem, was sie außerhalb des Klavierspielens bewegt. Dabei führt die Klavier-Lehrkraft, die privat „Ping-Pong-Gespräche" bevorzugt, also einen ausgewogenen Dialog, in dem beide Seiten gleichermaßen zu Wort kommen, nahezu ausschließlich „Ping-Gespräche". Das heißt, sie stellt sich vollkommen auf die Schüler ein (die sie ja schließlich bezahlen). Während des Unterrichts hört eine Klavier-Lehrkraft allerdings nicht nur zu, sie sagt auch mal was, nämlich zu 95 % einen dieser 30 Sätze:

- Guten Tag Herr X,
- Guten Tag Frau Y,
- Guten Tag Z,
- Es regnet, also wunderbares Klavierspiel-Wetter, nicht wahr?
- Ach, das ist ja interessant!
- Das kann ich gut verstehen.
- Was, drei Arbeiten müsst ihr in dieser Woche schreiben?
- Wir fangen wie immer mit dem Repertoire an.
- Bitte spiel mir mal das neue Stück vor.
- Das hast du aber schön geübt!
- Spielen Sie das „A" in Takt 5 bitte mit dem 3. Finger.
- Das Handgelenk sollte beim Daumenuntersatz unten bleiben.
- Wir setzen noch mal an dieser Stelle ein.
- Bitte spiel das Praeludium mal im Übetempo.
- Ich zähle jetzt mit: 1 + 2 + 3 + 4 +.

- Wir klatschen den Rhythmus mal zusammen.
- Warte, ich klatsche es dir erst vor.
- An dieser Stelle bitte nicht so laut spielen, da steht nur ***mf***!
- Bitte halten Sie den 5. Finger etwas runder.
- Ich spiele dir diesen Abschnitt mal vor.
- Die „Mondscheinsonate“ ist noch zu schwer für Sie, wirklich!
- Wie wär's, wenn du mal wieder ein bisschen üben würdest?
- Ich spiele dir das neue Stück vor.
- Nein, am Freitag unterrichte ich nicht.
- Ja, die Ferien müssen Sie wie an der Musikschule durchbezahlen.
- Soll ich noch mal die Unterrichtsbedingungen ausdrucken?
- Tut mir leid, donnerstags habe ich keinen freien Termin mehr.
- Denken Sie bitte an das Honorar nächste Woche!
- Jetzt ist die Stunde leider schon vorbei.
- Alles Gute, bis nächste Woche!

Aber wie laufen die *privaten* Gespräche der Klavier-Lehrkraft ab in Zeiten, in denen sie kein Geld verdienen muss? Hat sie dann immer noch Lust auf die erprobte Einbahnstraßen-Hör-Bereitschaft? Ist sie in der Freizeit, also im Kontakt mit dem Lebenspartner, den Freunden, den Bekannten, immer noch erpicht darauf, sich zutexten zu lassen? Eine Klavier-Lehrkraft auf dem freien Markt ist umso erfolgreicher, je mehr Herzblut sie in den Job steckt, je aufmerksamer und „klientenzentrierter“ sie sich gibt. Sind aber Anzeichen zu bemerken, dass sie dieses Vorgehen auf ihr Privatleben überträgt, sollte sie ihr Verhaltensmuster überprüfen.

Als aufopferungsvoll zuhörende Partybesucherin ist die Klavier-Lehrkraft am Samstagabend beliebt, und so klingeln ihr auf der Rückfahrt regelmäßig die Ohren von den Erzählungen der anderen Partrygäste. Wenn sie sich fragt, „Wo bleibe ich eigentlich, warum bin ich so selbstlos, warum stelle ich mich immer auf die Anderen ein?“, ist es zu spät – sie hat nach einer erfolgreichen Woche als Klavier-Lehrkraft mal wieder nicht von professionellem auf privates Gebaren umschalten können. Es ist auch nicht so einfach, abends oder am Wochenende auf Knopfdruck die Rolle der unendlich geduldigen Zuhörerin hinter sich zu lassen, wenn man sie viele Stunden in der Woche ausgefüllt hat, denn man trifft auch auf der Straße, im Supermarkt, in der Straßenbahn, in der Kneipe ständig auf Menschen, die nicht zuhören können und nur daran interessiert sind, sich selbst darzustellen. Oft merkt man schon am Gesichtsausdruck und der wachsenden Unruhe des Gegenüber, dass er nicht bereit ist, sich auf einen einzulassen, sondern nur auf eine kleine Pause lauert um sofort einzuhaken und wieder zum Dauerredner in Sachen seiner selbst zu werden.

Um aus dieser berufsbedingten Rolle herauszukommen, bedarf es *vier* Schritte:

- *Schritt eins* beginnt mit der Erkenntnis, dass man keinerlei Berechtigung hat, sich darüber zu beschweren, dass man auf der Samstags-Party wieder lange Reden über sich ergehen lässt. Falls es so kommt, liegt es am eigenen Verhalten! Jedem, der begonnen hat, etwas zu erzählen, hat man durch fortwährendes Nicken, zustimmenden Lauten, Rückfragen oder Schweigen in den entstehenden Pausen intensiv Hörbereitschaft signalisiert. Besser kann man niemandem dazu ermuntern, endlos weiter zu erzählen. Im Gegenzug fiel es einem den ganzen Abend nicht ein, das Geringste von sich selbst preisgegeben.

- *Schritt zwei* folgt aus der Erkenntnis, im Privatleben die im Beruf eingeübte Art ablegen zu müssen, an jedem Menschen interessiert zu sein. Man muss nicht ohne Not jedem langweiligen Gesprächspartner Wort für Wort an den Lippen hängen – zahlt der dafür? Man sollte sich trauen, den Blick umherschweifen zu lassen, während diese farblose Person nicht aufhört, auf einen einzureden.

- *Schritt drei* ergibt sich aus Schritt eins und zwei: Man zwingt sich auf der nächsten Party von Zeit zu Zeit so unbekümmert drauflos zu reden, wie es die anderen auch tun, und sich dabei zu sagen: „Mein Leben ist mindestens genauso bemerkenswert, wie das aller anderen hier!“ Am Anfang mag man noch stockend sprechen. Aber sobald man merkt, das der eine oder andere tatsächlich zuhört, quellen die Worte immer flüssiger hervor. Natürlich sollte man jetzt nicht selber zum Dauerquassler werden. Ideal ist ein Gleichgewicht im Hin und Her zweier Menschen, eben ein „Ping-Pong-Gespräch“. Dafür findet sich auf *jeder* Party der eine oder andere Gesprächspartner.

- Bei *Schritt vier* sollte man sich bei Zeitgenossen, die ausschließlich über sich selbst sprechen, unter Verwendung eines Vorwandes freundlich entschuldigen und anderen Gästen zuwenden. So macht der Samstagabend auch der Klavier-Lehrkraft wieder Spaß!

19. Lehrkraft als bester Freund
Persönliches während der Klavierstunde

„Entschuldigen Sie bitte. Heute kann ich nicht Klavier spielen. Ich muss Ihnen mal was erzählen. Also, gestern Abend kommt mein Mann nach Hause und sagt …“ Was der Mann von Frau Müller gesagt hat, fällt unter das Klavierlehrer-Geheimnis, aber diese Situation ist im Klavierunterricht gar nicht selten, denn eine Privat-Lehrkraft ist im Vier-Augen-Gespräch in Personalunion persönlicher Vertrauter, mitfühlende Freundin, Eheberater, Trösterin, kurz: Consultant in allen Lebenslagen – auf jeden Fall ein Mensch, der so zuhört wie kein anderer im Leben des Schülers. Spielend wechseln erfolgreiche Privat-Lehrkräfte zwischen Lehrer- und Kummerkasten-Rolle, und je geduldiger sie sind, desto mehr verdienen sie.

Zum Klavierunterricht erscheint immer der ganze Mensch, dazu gehören seine Wünsche, Vorlieben, Ängste und augenblickliche Befindlichkeit. Manchmal ist er nicht in der Lage sofort vorzuspielen, Kinder müssen erst den Streit mit der besten Freundin loswerden, Pubertierende sich den Stress mit den Eltern von der Seele reden, Jugendliche über die vielen Hausaufgaben in der Schule schimpfen, Eltern über ihre Sorgen um die Kinder sprechen, Erwachsene den Stress im Beruf beklagen, Ältere ihre Krankheiten schildern.

Der erzählende Schüler verhält sich mehr oder weniger unbewusst, Klavierunterricht ist Teil seiner Freizeit, hier kann er loslassen, hier entspannt er sich. Die Klavier-Lehrkraft dagegen muss jederzeit Herr der Lage bleiben und die Gesamtsituation und die verinnende Zeit im Blick behalten. Gibt sie zum Beispiel dem Bedürfnis eines Schülers nach, in einer Stunde ausschließlich Privates kundzutun und keine Taste anzurühren, bedauert dieser oft, wenn die Stunde „plötzlich“ vorbei ist und der nächste Schüler vor der Tür steht, die ganze Zeit nur geplaudert zu haben: „Ach, ist die Stunde schon rum? Ich wollte Ihnen heute doch unbedingt das Praeludium vorspielen!“

In diesem Moment fühlt sich der Schüler ein wenig unwohl, denn er weiß, dass er ja eigentlich hier ist, um Klavier zu spielen. Kommt er in der nächsten Woche erneut in Erzähl-Stimmung und deshalb in der Klavierschule nur sehr langsam voran, wird das am Ende nicht selten der Klavier-Lehrkraft angelastet: „Bei der lernt man ja nichts!“ Deshalb fällt es auf die Klavier-Lehrkraft zurück, wenn sie dem redenden statt klavierspielenden Schüler allzu sehr entgegenkommt und es unterlässt, ihn nach einiger Zeit sanft zu ermahnen, jetzt aber mal sein Stück zu spielen. Eine erfahrene Privat-Lehrkraft weiß, dass die Verantwortung für den Verlauf der Klavierstunde im Endeffekt bei ihr liegt und findet stets die richtige Balance zwischen dem Mitteilungsbedürfnis des Schülers und der Arbeit am Klavier. Erzählt ein Schüler sehr viel und fühlt sich die Lehrkraft in ihn hinein, ist das für sie wesentlich anstrengender als der „reguläre" Klavierunterricht. Steht ihr damit eigentlich nicht das doppelt bis dreifach so hohe Honorar eines Psychotherapeuten zu?

In Kapitel 1 – „Liebesbrief an meine Schüler" – wird geschildert, dass eine sensible Lehrkraft gar nicht anders kann, als ihre Schüler zu lieben. Aber lieben die Schüler auch ihre Lehrkraft? Immerhin ist die für sie eine unbequeme Person, denn so viel die Schüler auch üben, ewig hat sie etwas zu kritisieren, entweder spielt man zu schnell oder zu langsam, zu laut oder zu leise, nicht im richtigen Rhythmus, mit den falschen Fingersätzen, usw., nie ist sie zufrieden, das kann ganz schön nerven. Für das Maß der Gegenliebe der Schüler ist aber nicht entscheidend, wie viel die Lehrkraft kritisiert, sondern *wie* sie kritisiert. Schüler jeden Alters haben ein feines Gespür dafür, ob die Lehrkraft ihnen grundsätzlich wohlgesonnen ist. Hat sie den großen/kleinen/jungen/alten Schüler auf der Klavierbank neben sich gern, spiegelt der diese Zuneigung in den meisten Fällen wider, und kann dann auch jede Menge Kritik verkraften.

Manchmal realisieren Schüler nicht, dass die Person, die ihnen immer so schön zuhört, nicht ihr bester Freund ist, sondern eine zeitlich bemessene Dienstleistung erbringt. Sie glauben, ihr persönliches Verhältnis zur Lehrkraft sei etwas ganz Besonderes, und sie empfinden den nachfolgenden Schüler als störenden Konkurrenten – wer ist schon gern eine Nummer unter Vielen? So kommt bei ihnen mitunter der Wunsch auf nach einem Kontakt über das Dienstverhältnis hinaus („Wir unterhalten uns hier sooo nett, Sie *müssen* unbedingt mal am Wochenende vorbeikommen, ich backe auch einen Kuchen!"). Der Wunsch nach Treffen über die Klavierstunde hinaus besteht aber nur selten auf beiden Seiten, weil die Lehrkraft bei einem privaten Treffen wohl weiterhin die Rolle der einseitig zuhörenden Person einnehmen würde und nicht unbedingt darauf erpicht ist, in ihrer Freizeit unentgeltlich weiterzuarbeiten.

Für eine private Lehrkraft ist es deshalb aus Selbstschutz eminent wichtig, eine klare Grenze zwischen Arbeit und Freizeit zu ziehen. Freundschaftsanträge sollten von vornherein höflich so lange unter einem Vorwand abgelehnt werden (z.B. „am Wochenende habe ich leider keine Zeit"), bis der Schüler irgendwann sein Ansinnen aufgibt.

Nach langjähriger Erfahrung entwickelt sich aus einem Dienstleistungsverhältnis nur selten ein privater Kontakt. Mit dem letzten erwachsenen Schüler an einem Tag geht man vielleicht abends noch ein Bier trinken, führt ein gutes Gespräch (Ping-Pong-Gespräch!) und trifft sich danach öfter, bis aus der Bekanntschaft eine Freundschaft erwächst. Dann kommt irgendwann der Punkt, an dem es merkwürdig ist, von Freund oder Freundin noch Geld für den Unterricht zu verlangen, vielleicht reduziert man dann das Honorar oder erlässt es ganz. Bei tiefergehenden Freundschaften endet dann interessanterweise meistens der Klavierunterricht – man hat einen Kunden verloren, aber einen Verbündeten gewonnen. Das passiert höchstens alle zehn Jahre einmal. Noch seltener ist, dass man auf diesem Wege einen Lebenspartner findet, aber auch das soll schon vorgekommen sein ...

20. Erotik im Klavierunterricht
Gefühle können nie falsch sein, aber Tun

Dass im Klavierunterricht, in dem man relativ nah beieinander sitzt, mitunter erotische Spannungen auftauchen, ist nicht ungewöhnlich.

Erotische Spannung bei der Lehrkraft

Zu jedem Schüler hat man als Lehrkraft eine andere Beziehung. Im Verlauf des Unterrichts kommt es gelegentlich zu leichten körperlichen Kontakten, zum Beispiel beim Vierhändigspiel oder wenn Hand- oder Körperstellung des Schülers korrigiert werden müssen. Solche physischen Berührungen sind so normal wie beim Arzt, beim Friseur oder bei der Krankengymnastik. Über eine dabei jäh aufkommende Gefühlsaufwallung kann eine Lehrkraft schon mal einen Schreck bekommen, besonders, wenn man plötzlich eine unbekannte Seite an sich selbst entdeckt. Dass etwas aus dem Ruder läuft, merkt die Lehrkraft auch daran, dass sie in der Freizeit oft an die betreffende Person denkt und immer mal wieder ihr Bild vor Augen hat.

Empfindungen dieser Art krampfhaft zu verdrängen oder sich gar dafür zu tadeln, ist der falsche Weg, Gefühle sind nie „falsch", sie sind einfach da, nur darf aus ihnen kein unadäquates Reden oder Handeln entstehen. Denken (und fühlen) darf man durchaus: „Wow, was für eine attraktive Frau!" oder: „Was für ein attraktiver Mann!" Es ist nun einmal so, dass man die eine Person körperlich und seelisch weniger schätzt und die andere mehr – manchmal auch über das „Normale", Wünschenswerte hinaus. Nur wem solche Regungen klar bewusst sind, kann man damit umgehen und sich selbst im Zaum halten. Psychoanalytiker lernen in ihrer Ausbildung, dass sie für ihre Emotionen nichts können, sich aber darum bemühen müssen, sie einzuordnen und nicht unter ihrem Einfluss zu handeln. Das ist auch das richtige Vorgehen für Klavierpädagogen. Sie sollten sich unbedingt so weit unter Kontrolle haben, dass sie nicht immer wieder die körperliche Nähe eines anziehenden Schülers suchen.

Auf verbaler Ebene ist gegen scherzhaftes Flirten mit einem Schüler nichts einzuwenden. Im Prinzip kann man mit allen Menschen schäkern. Das beflügelt den Unterricht, macht ihn amüsant und abwechslungsreich. Mit etwas Fantasie findet man immer Ansatzpunkte zum Charmieren, und zwar bei Personen aller Geschlechter und aller Altersklassen. Der Weg vom guten Einvernehmen zum lustigen Geplänkel ist nicht weit. Mit manchem Schüler entwickelt sich eine launige Grundstimmung, in der Woche für Woche ein Wort das andere ergibt. Jedem ist dabei klar, dass es sich um nichts anderes als unverfängliches Flachsen handelt. In dieser Konstellation genießt der Klavierschüler den Unterricht noch ein bisschen mehr. Auch die Lehrkraft freut sich jede Woche auf jene Schüler, mit denen so ein netter Smalltalk möglich ist.

Erotische Spannung bei Klavierschülern

Bisweilen werden pubertierende Jungen oder Mädchen und manchmal auch Erwachsene rot, wenn man nett mit ihnen spricht, womit nicht flirten gemeint ist. Das ist in jedem Fall immer rührend. Keinesfalls sollte sich die Lehrkraft aber daran ergötzen, sondern darüber hinweggehen und den Schüler umgehend durch betont sachliche Arbeit am Klavier entlasten. Es geschieht jedoch auch, dass sich Schüler ernsthaft in ihren Lehrer verlieben, oder meinen, schwer verliebt zu sein. Das hat in den seltensten Fällen etwas mit der Lehrkraft als Person zu tun, sondern mit ihrer Stellung als Klavier-Autorität und dem daraus resultierenden „Machtgefälle".

Auch wenn sich die Verliebtheit eines Schülers nicht zum Liebeswahn steigert (der oft nicht zu kurieren ist), ist eine Lehrkraft dadurch verunsichert. Die Verliebtheit kann lediglich atmosphärisch fühlbar sein, sich aber auch in aufdringlichen Komplimenten äußern, in kleinen Geschenken, langen Blicken oder einem Händedruck, der länger als nötig währt. Dann wird jede Klavierstunde in den Augen des Schülers zum Date. Diese Situation kann der Lehrkraft eine Weile schmeicheln oder sie ratlos und verlegen machen, manchmal sogar zur Gegenliebe verleiten – was aber in jedem Fall unangebracht ist.

Starke Zuneigung von Kindern

Haben Kinder Vertrauen zu ihrer Lehrkraft gefasst, schmiegen sie sich zuweilen spontan an sie an. Dann heißt es (wie auch bei jeglicher körperlicher Annäherung von Erwachsenen) sanft aber bestimmt auf die Bremse zu treten. Einem kleinen Mädchen oder Jungen erklärt man, es sei wunderbar mit Mama, Papa und den Geschwistern zu kuscheln, das kenne man ja auch! Aber das wäre eine andere Art von „Gernhaben" als das Nettfinden der Lehrkraft. Die neue Klassenlehrerin in der Grundschule, die sie so ins Herz geschlossen habe, würde sie ja auch nie umarmen, und den freundlichen Polizisten, der immer morgens am Zebrastreifen aufpasst, auch nicht.

In den Augen von Kindern, besonders in denen von Mädchen, ist es hochinteressant, über einen Menschen, der ihnen offiziell nur in der abgehobenen Position der allwissenden Lehrkraft gegenübertritt, so viel Privates wie möglich zu erfahren. „Hast du einen Mann?", fragt die achtjährige Greta mit den Zöpfen unvermittelt. Emily (7) beschäftigt, ob die Lehrkraft Kinder hat. Marie (8), der schon drei Milchzähne vorne fehlen, lädt die Lehrkraft zu ihrem Kindergeburtstag nächsten Donnerstag ein. Erfahrene Lehrkräfte wissen solche Fragen und Einladungen durch geschickte Gegenfragen so abzublocken, dass die Kleinen ihr ursprüngliches Anliegen für den Augenblick vergessen. Persönliche Mitteilungen zu machen hat keinen Sinn, weil dadurch die Neugier der Kinder nur noch mehr angefacht würde – Kinder können sehr hartnäckig sein.

III

Praxis

21. Alltag einer Klavier-Lehrkraft

Begabte, Unbegabte, Übende, nie Übende

Betrachten wir einmal den Klavierunterricht unter den drei Aspekten Begabung, Übeaufwand und Atmosphäre:

- Den ersten Aspekt *Begabung* unterteilen wir in stark, mittel, schwach.

- Den zweiten Aspekt *Übeaufwand* unterteilen wir in übt viel, übt wenig, übt nie.

- Den dritten Aspekt *Unterrichts-Atmosphäre* unterteilen wir in angenehm ☺, o.k., unangenehm ☹ .

Begabung des Schülers	stark	mittel	schwach
Übeaufwand des Schülers	übt viel	übt wenig	übt nie
Unterrichts-Atmospähre	☺	o.k.	☹

Aus obiger Matrix lässt sich für jeden Schüler eine Punktezahl ermitteln:

Übeaufwand	viel			wenig			nie		
Atmosphäre	☺	o.k.	☹	☺	o.k.	☹	☺	o.k.	☹
Begabung stark	27	26	25	24	23	22	21	20	19
Begabung mittel	18	17	16	15	14	13	12	11	10
Begabung schwach	9	8	7	6	5	4	3	2	1

Die Punktezahlen reichen bei Berücksichtigung aller Kriterien von 1 bis 27.

Das Optimum sind 27 Punkte:

- Der Schüler ist stark begabt.
- Der Schüler übt ziemlich viel.
- Die Atmosphäre ist angenehm.

Das Minimum ist 1 Punkt:

- Der Schüler ist wenig begabt.
- Der Schüler übt so gut wie nie.
- Atmosphäre ist unangenehm.

Bis zu welcher niedrigen Punktzahl eine Lehrkraft noch Lust hat, einen Schüler zu unterrichten, muss sie selbst entscheiden (siehe Kapitel 48: Blättern in den Kontoauszügen). Bei einem solchen Entschluss spielt immer auch die aktuelle Auftragslage eine Rolle. Wird man gerade von Schülern überlaufen, kann man es sich leisten, sich von einem Schüler zu trennen, der nur schwach begabt ist, nie übt und bei dem obendrein die Unterrichts-Atmosphäre unangenehm ist. Die ganz hohen und die ganz niedrigen Punktezahlen kommen im Alltag der Klavier-Lehrkraft allerdings nur selten vor.

In den allermeisten Fällen hat man es mit Mischformen zu tun:

- Ein stark begabter Schüler übt nie.
- Ein mittelmäßig begabter Schüler übt viel.
- Ein wenig begabter Schüler ist sehr angenehm.

Eine professionelle Klavier-Lehrkraft nimmt es, wie es kommt.

22. Es klingelt immer rechtzeitig
Erziehungssache Schülerpünktlichkeit

Ideal für den allergrößten Teil der Schüler sind 30 Minuten Klavierunterricht in der Woche. Bei manchen Privatlehrern soll der Unterricht 45 oder gar 60 Minuten währen – was um Himmels willen geschieht in dieser Zeitspanne? Ganz sicher nicht die ganze Zeit intensiver Klavierunterricht! Effektiver Unterricht lebt von der Wachsamkeit innerhalb einer Spannungskurve; diese ist bei Kindern, Jugendlichen und Erwachsenen nicht länger als eine halbe Stunde aufrechtzuerhalten. Bei Kindern zwischen Fünf und Sieben Jahren sind schon diese 30 Minuten zu viel.

Die Praxis lehrt, dass sich ein Arbeitstag von *14 halben Stunden am Stück* für eine Lehrkraft gefühlt deutlich weniger in die Länge zieht, als *7 volle Stunden am Stück*. Durch das Wechselspiel zwischen 25 Minuten konzentrierten Unterrichtens und 5 Minuten für den Schülerwechsel gerät die Lehrkraft in einen 7 Stunden dauernden „Flow“; dieser „Schaffensrausch“ beschreibt einen durchaus nicht unangenehmen Zustand, in dem man unablässig bei der Sache ist, weder Hunger noch Durst verspürt, einfach immer weiter „am Fließband“ arbeitet und es einem so vorkommt, als könnte es ewig so weitergehen.

Dieses System kann aber nur funktionieren, wenn jeder Schüler absolut pünktlich klingelt, nicht zu früh, nicht zu spät. Zu dieser Pünktlichkeit müssen alle Schüler, ob groß oder klein, erzogen werden. Kann sich die Lehrkraft in dieser Frage nicht durchsetzen, ist der Flow-Modus gefährdet. Bei Schülern, die nicht in Deutschland geboren wurden, setzt der Lernerfolg in Sachen Pünktlichkeit oft etwas später ein (kein Vorurteil, sondern langjährige Erfahrung); hat sich das Erstaunen über die typisch deutsche Sekundär-Tugend gelegt, gehören sie in den meisten Fällen zu den pünktlichsten Schülern.

Die Strenge der Lehrkraft in Sachen Pünktlichkeit führt zuweilen zu skurrilen Situationen. So stehen Schüler jeden Alters im Eingangsbereich und schauen gebannt auf ihre Uhr. Punkt XX:00 oder XX:30 drücken sie dann auf den Klingelknopf und holen sich ein wohlverdientes Lob für ihre Pünktlichkeit ab. Laut Aussagen der Nachbarn zählt auch schon mal ein Steppke im Hauseingang laut bis sechzig, nachdem ihm die Mama, die ihn mit dem Auto abgesetzt hat, eingeschärft hat: „Du darfst aber erst in einer Minute klingeln!“ Hin und wieder muss die gestrenge Lehrkraft dann auch den gezeigten Eifer bremsen und erklären, dass eine Minute davor oder danach noch „sehr pünktlich“ sei.

Der Übergang von einem Schüler zum anderen ist ein heikler Moment:

Der scheidende Schüler

... empfindet den Neuankömmling prinzipiell als Störung. Genoss er bis dahin die Zuwendung der Lehrkraft exclusiv, darf ihm nun die Beachtung keineswegs abrupt entzogen werden, indem sich die Lehrkraft nur noch dem neuen Schüler widmet.

Der nachfolgende Schüler

... erwartet, dass sich die Lehrkraft sofort um ihn kümmert. Für ihn ist der scheidende Schüler, der gerade noch in aller Ruhe seine Sachen zusammenpackt, eine störende Person, mit der er die – eigentlich ihm zustehende – Aufmerksamkeit noch einen Moment teilen muss.

Die erfahrene Lehrkraft

... weiß, dass sie weder den scheidenden noch den nachfolgenden Schüler frustrieren darf – beide abwechselnd freundlich anschauend und an beide genauso viel Sätze richtend, managt sie die fragile Situation für beide Seiten auskömmlich.

23. Die Schüler klimpern herum
Das macht die Lehrkraft wahnsinnig

Es ist die häufigste Unart von Kindern, Jugendlichen und Erwachsenen:

Während man etwas im Aufgabenheft notiert,
klimpern sie auf den Tasten herum.
Während man ihnen etwas genau erklären will,
klimpern sie auf den Tasten herum.
Während man Fingersätze in die Noten schreibt,
klimpern sie auf den Tasten herum.
Während man mit der Mutter etwas bespricht,
klimpern sie auf den Tasten herum.

Wenn Klavier-Lehrkräfte nicht ein absolutes Klimper-Verbot verhängen bzw. nicht in der Lage sind, es durchzusetzen, ist das negativ für Schüler und Lehrer. Dabei geht es keineswegs um übertriebene Disziplin, sondern nur um ein Detail der Ordnung, die Grundlage für wirkungsvollen Klavierunterrichts ist. Für ein nervenschonendes Klima im Unterricht ist die Klavier-Lehrkraft verantwortlich. Sie als Profi muss ihren Schülern gewisse Regeln beibringen und konsequent überwachen. Damit fördert sie den Lernerfolg der Stunde und profitiert selbst am meisten davon.

Zwischen Lehrkraft und Schüler besteht ein Rangverhältnis: Weil der Schüler Fortschritte auf dem Klavier erzielen will, erkennt er die Lehrkraft als übergeordnete Instanz an, die ihm sagen darf, was richtig und falsch ist, was er tun oder lassen sollte. Schüler jeden Alters brauchen eine Struktur, genauso wie ein Kind, das durch das Setzen von Grenzen fürs Leben lernt.

Auch im Klavierunterricht wird das Rangverhältnis gefestigt, indem Schüler es ausloten. Als Lehrkraft muss man deshalb nicht nur gut Klavier spielen können, sondern sich auch den Status einer Respektsperson erarbeiten, denn der Schüler ist grundsätzlich nur bereit Kritik und Weisungen von jemandem umzusetzen, den er als Autorität anerkennt.

Ein gewisser Abstand zwischen Lehrer und Schüler befördert die Leistung des Letzteren. Tritt die Lehrkraft allzu kameradschaftlich-jovial auf, hat sie schon verloren. Inwieweit ein Schüler den Rang der Lehrkraft akzeptiert, erkennt man zum Beispiel daran, wie königlich er sich immer freut, wenn seinem vorspielenden Lehrer ein Fehler unterläuft. Gibt ihm die Lehrkraft dann sofort Recht und lobt ihn für seine Aufmerksamkeit, gereicht ihr diese Souveränität zur Ehre und stärkt noch eher ihre Stellung.

24. Ständig mitsingende Lehrkraft
Wundert sich abends über ihre Heiserkeit

Weit verbreitet unter Klavier-Lehrkräften ist die Angewohnheit, ständig im Unterricht die Melodie des Stücks, das gerade vorgespielt wird, mitzusingen oder mitzusummen.

Positiv gesehen erkennt man daran deutlich, mit welch' ungeheurem Elan doch so eine Klavier-Lehrkraft bei der Sache ist!
Negativ gesehen ist das eine skurrile Marotte von Klavier-Lehrkräften, die nicht selten als doch etwas lästig empfunden wird.

„Können Sie mir bitte einen Gefallen tun und bei der Wiederholung nicht mehr mitsingen?", bittet ausgesprochen höflich ein 16-jähriger Schüler seine verehrte Klavier-Lehrkraft. Die fühlt sich ertappt: Nervt dieser Spleen, den sie sich in langen Jahren des Unterrichtens angewöhnt hat, vielleicht auch andere Klavierschüler schon lange, die sich nur nicht trauen, etwas zu sagen? Und heiser ist sie eigentlich immer am Abend, woher das wohl kommt? Das eigene Betragen zu hinterfragen ist nie falsch, und manchmal braucht es dazu den Anstoß eines 16-jährigen höflichen Schülers. Zwei Möglichkeiten hat die Lehrkraft nun etwas gegen die abendliche Heiserkeit zu unternehmen:

- Sie geht zum Kollegen Gesangslehrer vor Ort, um dort die ultimative Gesangstechnik für stundenlanges ununterbrochenes Singen im Klavierunterricht zu erlernen.
- Sie hört einfach auf mit Mitsingen, Mitsummen, Mitbrummen, während die Schüler neben ihr auf dem Hocker sitzen und in die Tasten hauen.

Vielleicht ist ja das ständige Singen, Summen und Brummen einer Klavier-Lehrkraft tatsächlich ein Zeichen großartigen Eifers beim Unterrichten. Nur ist fraglich, ob dieses Gehabe den Schülern hilft oder sie eher irritiert.

Zum beschriebenen akustischen Engagement von Klavier-Lehrkräften tritt oft auch noch ihr körperliches Engagement: „rhythmisches Mitspielen" in Form simultaner Bewegungen:

- rhythmisches Kopfnicken
- rhythmisches Fußklopfen
- rhythmisches Armrudern

- rhythmisches Klatschen
- rhythmisches Dirigieren
- rhythmisches mit-dem-Lineal-auf-den Tisch-hauen
- rhythmisches mit-dem-Stuhl-hin-und-her Schaukeln
- rhythmisches mit-dem-gesamten-Körper-Zucken

Manche temperamentvolle Lehrkraft kann beim Unterrichten einfach nicht ruhig auf ihrem Stuhl sitzen bleiben. Schaut ihr ein unbefangener Betrachter zu, könnte dieses Panoptikum losgelöst von der Situation einen Lachanfall auslösen. Vielleicht sollte sie sich ab und zu selbst filmen, um allzu übertriebenes Herumhampeln etwas herunterzufahren.

Auszuschließen ist übrigens nicht, dass der vorspielende Schüler die Bewegungen der Lehrkraft aus den Augenwinkeln wahrnimmt und sein Spiel dadurch metrisch stabilisiert wird. Vielleicht aber sollte sich die Lehrkraft angewöhnen, besonders intensives körperliches Mitgehen nur ab und zu bewusst einzusetzen, so wie sie auch nur ab und zu in rhythmisch besonders schwierigen Takten mitzählt.

25. Typisch A-Typ, typisch B-Typ
Auswendig- und Vom-Blatt-Spieler

Klavierschüler können in zwei Kategorien eingeteilt werden:

A-Typ = *Auswendig-Spieler*

Auswendig-Spieler schauen beim Spielen oft auf die Tasten oder in die Luft. Sie sind gut darin, Melodien nach Gehör zu spielen und zu Improvisieren. Hingegen tun sich *Auswendig-Spieler* schwer, auch nur die einfachsten Noten vom Blatt zu spielen.

B-Typ = *Vom-Blatt-Spieler*

Vom-Blatt-Spieler schauen beim Spielen meistens unverwandt auf die Noten. Sie sind gut darin, einfache Noten, die man ihnen vorsetzt, prima vista vom Blatt zu spielen. *Vom-Blatt-Spieler* sind nicht gut darin, nach Gehör nachzuspielen oder zu improvisieren.

A-Typen und **B-Typen** begegnen einem als Klavier-Lehrkraft immer wieder, in Reinkultur, als Mischform oder verdeckt: Wenn ein A-Typ zum Beispiel ständig brav in Richtung Noten sieht, weil ihm das die Lehrkraft nahegelegt hat, aber die Noten gar nicht wirklich verfolgt (man sollte genau beobachten, ob seine Augen wirklich mit den Noten wandern). Der B-Typ hingegen kann die Lehrkraft nicht so leicht täuschen. Sein verzweifelter Blick, wenn man ihm die Noten wegnimmt und ihn bittet, mal etwas „Freies“ zu spielen, spricht Bände.

Ziel des Klavierunterrichts sollte es sein, jeweils die weniger ausgeprägte Seite des Schülers zu fördern, also den A-Typ zum tatsächlichen Notenblick zu bringen und den B-Typ zum Auswendigspielen und Fantasieren. Als erster Klavierlehrer eines Schülers trägt man Verantwortung, denn A-Typ und B-Typ sind – einmal eingespielt – sehr stabil.

Schüler im Alter von fünf bis sieben Jahren sind immer A-Typen, weil sie noch nicht so firm darin sind, einen Text – Buchstaben und Noten – schnell zu erfassen. Hier gilt es den Anfängen zu wehren. Haben sie sich schon vor dem ersten Unterricht am Klavier „Alle meine Entchen“ auf den Tasten zusammengesucht, denken sie, es ginge jetzt immer so weiter mit dem „Ausschließlich-auf-die-Hände-gucken“. Kinder lassen sich jedoch noch gut mit dem „Zauberbrett“ zum Notenlesen bringen, das man ihnen immer dann über die Hände hält, wenn sie auf ihre Finger sehen anstatt auf die Noten – ein Spiel, das ihren Ehrgeiz weckt: Tun sie doch alles, damit die Lehrkraft nicht wieder mit diesem doofen Brett kommt.

Auch manchen dem Kindesalter entwachsenen Schülern erscheint der Blick auf die Tasten statt auf die Noten sicherer. Bei Anfängern darf die Lehrkraft deshalb nicht müde werden, auf das Notenlesen während des Spielens achtzugeben, denn nur so können sich die für das Klavierspiel *wichtigen Verknüpfungen zwischen den Gehirnhälften* in annehmbarer Zeit entwickeln. !

Hin und wieder ist natürlich auch mal der Blick auf die Hände erlaubt, wenn die Lehrkraft den Schüler zum Beispiel dazu anhält,

- seine Finger rund zu halten, besonders den 4. und den 5.,
- Nebenbewegungen von Händen und Fingern zu reduzieren,
- mit beiden Händen immer „tief ins Schwarze" zu gehen.

Beherrscht man ein Stück, muss man eigentlich nur noch bei größeren Sprüngen auf die Tasten gucken – das Klavier ist nicht nur ein Tasten- sondern auch ein Tast-Instrument.

26. Mein Geschmack, nicht deiner

Wieso lieben Schüler nicht, was ich liebe

Während ihm die Klavier-Lehrkraft das neue Stück vorspielt, wird das Gesicht des Schülers immer länger, und die Lehrkraft ist nach ihrem Vorspiel geknickt, weil der Schüler so gar nichts an dem neuen Stück finden kann, das sie ihm gerade voller Inbrunst vorgespielt hat. Wieso können Menschen Musik so unterschiedlich empfinden, wieso gibt es so große Unterschiede im Musikgeschmack? Wie entsteht dieser überhaupt?

Indem Melodien, Harmonien und Rhythmen vom kognitiven Apparat (Ohren, Trommelfell, Gehörgang) in das limbische System (der Teil des Gehirns, wo die Emotionen verarbeitet werden) wandern, erfassen wir Musik. Gefällt dem Gehirn, was bei ihm ankommt, schüttet es körpereigene Endorphine aus („Glückshormone" genannt).

Musik besteht im Grunde aus mathematisch berechenbaren Luft-Schwingungen, deren Frequenzen sich nach physikalischen Gesetzen überlagern. Verwandeln sich Musik und Physik in Gefühle, ist das ein Wunder, vor dem niemand gefeit ist. Aber warum reagieren Gehirne so unterschiedlich? Warum steht der eine auf Rock und kann mit Oper so gar nichts anfangen und der andere geht gern in die Oper, hält sich aber bei Rock die Ohren zu?

Musik-Vorlieben werden, das haben Forscher herausgefunden, von vielen Faktoren geprägt, zum Beispiel von der Musik, die wir im Elternhaus und schon im Mutterleib gehört haben. Musik-Vorlieben sind darüber hinaus abhängig vom Alter, von der Epoche, vom sozialen Umfeld, von Erlebnissen, die wir im Zusammenhang mit Musik hatten, unseren Freunden und Bekannten und von unserer Art zu denken. Jeder ist im Laufe seines Lebens vielen Faktoren ausgesetzt, deshalb löst dieselbe Musik beim einen Glückshormone aus, beim anderen nicht.

Trotz aller Vorerfahrungen und bestehenden Vorlieben der Schüler ist es möglich, einem Schüler musikalisch neue Welten zu eröffnen. Möchte man einen Schüler zum Beispiel für Johann Sebastian Bach begeistern, spielt es eine Rolle, ob ...

... die vorspielende Person gut und souverän vorspielt.
... die vorspielende Person tatsächlich etwas empfindet.
... die vorspielende Person dem Schüler symphatisch ist.

Schüler haben ein feines Gefühl dafür, wie und mit welchem Engagement eine Lehrkraft vorspielt. Sie können, wenn sie Emotionen spüren, durchaus Musik-Vorlieben auf diesem Übertragungsweg übernehmen.

Die Beschäftigung mit einem Genre, von dem man bisher keine Ahnung hatte, ist jedoch keine Einbahnstraße. Führt ein Schüler auf seinem Smartphone begeistert einen Hip-Hop-Song vor, sollte sich die Klavier-Lehrkraft darauf einlassen und entspannt zuhören. Hip-Hop ist immerhin ein globales Phänomen der Jugendkultur, das man auch als konventionelle Klavier-Lehrkraft nicht so einfach abtun sollte. Junge Künstler auf der ganzen Welt passen Hip-Hop ihrer Kultur und Sprache an und erklären sich damit ihre Lebensumstände. Der Sprechgesang zur Musik ist ziemlich kompliziert und die Perfektion der ausübenden Künstler zeugt davon, dass sie ihren Vortrag lange geübt haben. Übrigens ist im Hip-Hop erstaunlich oft ein Klavier zu hören. Als gestandene Klavier-Lehrkraft muss man ja nicht gleich Hip-Hopper werden, aber zumindestens sollte man diese Musik einordnen können, genauso wie Rock, Pop, Techno, Metal oder House, Musikstile, die Millionen Jugendlichen auf der ganzen Welt sehr viel bedeuten.

Ob es immer noch ältliche Klavierlehrer gibt, die in ihren verstaubten Wohnzimmern mit Gummibaum in der Ecke und dicken Teppichen auf dem Boden allein Beethoven und Co. gelten lassen? Für die eine Klavierausbildung ohne die Etuden von Carl Czerny nicht denkbar ist? Und für die diese Hip-Hopper alles Gangster sind? Aber natürlich ganz anders als Bach, der Noten geklaut hat und vier Wochen im Gefängnis saß. Oder Händel, der sich mit Vorliebe duellierte. Oder Mozart, der Spaß an Fäkalsprache hatte und Musik zu Texten schrieb, die deutlich weniger abwechslungsreich waren als die Texte der merkwürdigen Männer mit den Goldkettchen, den komischen Armbewegungen und den zu weiten Klamotten im 21. Jahrhundert: „Nun muss *er* fort!“ – „Nun muss *ich* fort!“/„Nun muss *er* fort!“ – „Nun muss *ich* fort!“/„Nun muss *er* fort!“ – „Nun muss *ich* fort!“/„Nun muss *er* fort!“ – „Nun muss *ich* fort!“ usw. (aus: „Die Zauberflöte“).

27. Ich kenne diese Noten nicht
Von fremden Noten und www-Tutorials

Ein Schüler bringt Noten in die Klavierstunde mit, ein Stück, das er unbedingt spielen möchte. „Wie, das Stück kennen Sie nicht?“, fragt er ungläubig. Wie immer in dieser Situation erzählt die Lehrkraft die Geschichte vom 80-jährigen Pianisten Claudio Arrau, der nach 70 Jahren auf der Bühne meinte, nun habe er wohl ein Zehntel aller Werke kennengelernt, die je für Klavier geschrieben wurden – womit er nur die klassische Musik meinte, zehntausende Pop-Titel für Klavier nicht eingerechnet (als Klavierspieler hat man Zugriff auf mehr Noten als alle anderen Instrumentalisten zusammen).

Zuweilen kann eine Lehrkraft bei Noten, die der Schüler mitbringt, auch eine Entdeckung machen, auf jeden Fall sollte sie erst einmal offen für alle Art von Musik sein. Reichen ihre Prima-Vista-Fähigkeiten aus, die unbekannten Noten flüssig vorzuspielen, wägt sie während des Spielens ab, ob sie das Stück mit dem Schüler erarbeiten oder ihm lieber ausreden soll; Gründe dafür wären zum Beispiel ein abstrus hoher Schwierigkeitsgrad, die auf unsägliche Art „erleichterte“ Fassung eines Originalstücks, ein laienhafter Notensatz mit vielen Fehlern oder nicht vollständige oder unleserliche Noten.

Der Schüler hört seiner Lehrkraft aufmerksam zu, wenn sie das Stück spielt, dass er so gern hat, nicht selten singt er sogar freudig mit. Es kann pädagogisch vertretbar sein, mit ihm ein Stück durchzunehmen, für das er eigentlich noch nicht die Technik hat. Motivation ist eine starke Triebfeder. Dieses Stück wird er womöglich besonders ausdauernd üben, denn in selbstgesteckten Zielen schlummert eine große Kraft.

Sich mit vom Schüler mitgebrachten Noten auseinanderzusetzen, die man vorher noch nie gesehen hat, kann mühsam sein. Aber noch mühsamer ist die Konfrontation mit „Klavierunterricht 4.0“: Ein 13-Jähriger kommt in den Unterricht: „Darf ich Ihnen mal was vorspielen?“ – „Aber natürlich! Was spielst du denn? Zeig mir doch mal die Noten.“ – „Noten hab’ ich davon nicht. Das hab’ ich von YouTube.“

Blickt die Klavier-Lehrkraft da gerade in eine nicht so ferne Zukunft? Die Welt verändert sich rasant. Die Digitalisierung durchdringt sämtliche Lebensbereiche, ihre unendlichen Möglichkeiten sind bei weitem nicht ausgeschöpft. Es eröffnen sich immer neue Perspektiven und alles und jedes ist nur einen Wisch entfernt. Aber die Zukunft kann einen auch schrecken: sämtliche Erledigungen künftig von der heimischen Couch aus, Städte ohne Geschäfte, Banken ohne Kundenverkehr, Kneipen ohne Gäste, freundschaftliche Kontakte überwiegend per Skype – bald auch Klavierunterricht ohne anwesenden Lehrer? Vielleicht ist das ja schon Realität, wir haben es nur noch nicht mitbekommen.

2020 finden sich auf YouTube 489 Tutorials, mit denen man das angeblich berühmteste Klavierstück der Welt lernen kann und jedes Tutorial wurde tausende Male angeklickt.

Und so werben Klavier-Lern-Apps:

- Lernen Sie beim coolsten Lehrer im Internet!
- Ganz ohne Vorkenntnisse fix Klavierspielen lernen!
- Völlig neuartige, der modernen Zeit angepasste Lehrmethode!
- Vergleichen Sie: Klavierschule: 1.620 € im Jahr, Online-Kurs: 120 €!
- Klavierlernen muss heutzutage gar nicht schwer sein!
- Simply Piano lehrt dich Klavierspielen in kürzester Zeit!
- In vier Wochen mehr lernen als auf traditionelle Weise in vier Jahren!
- Auf farbigen Tasten deutlich schneller zum Erfolg!
- Wir zeigen dir, wie du einen Song ganz schnell performst!
- Auch ein Anfänger kann schnell ganz tolle Stücke spielen!
- Kein Witz: Mit sieben Tasten kann man Alles spielen!
- Klavierlernen geht rascher, als du denkst!
- Innerhalb weniger Minuten lernst du die wichtigsten Akkorde!
- Besser als die „Alte Schule“: Digital kannst du es viel schneller!
- Das ist der Fortschritt: Es geht auch ohne Klavierlehrer!

Da sträuben sich dem verdienten Unterrichtspersonal die grauen Haare, das unisono davon überzeugt ist, unersetzlich zu sein – digitaler Klavierunterricht könne doch niemals funktionieren. Aber warum sollte die Digitalisierung am Klavierunterricht vorbeigehen? Droht der altehrwürdigen Klavierlehrer-Zunft womöglich das gleiche Schicksal wie Schriftsetzern, Pianolisten und Leuchtturm-Wärtern? Entpuppen sich die modernen Zeiten mal wieder als Schreckgespenst?

Die Branche hat ja etwas Altbackenes an sich. Das beginnt schon mit dem Instrument (seit 1850 ist das Klavier im Wesentlichen unverändert) und setzt sich fort mit der im Unterricht überwiegend gespielten Klavier-Literatur, die zwischen 50 und 300 Jahre alt ist.

Nur noch acht Prozent aller Berufe kommen ohne Digitalisierung aus. Klavierunterricht gehört, wenn man so will dazu: geht auch bei Kerzenschein am akustischen Piano. Angesichts der neuen digitalen Konkurrenz in Angststarre zu verfallen und den Untergang des Abendlandes zu beklagen, hilft aber nicht.

Deshalb zurück zur Praxis mit dem 13-jährigen YouTube-Tutorial-Nutzer: Der hat wie gesagt begonnen, ein Klavierstück auf die im Tutorial gezeigte Art und Weise zu lernen. Nun kommt er nicht weiter, was nicht gerade selten bei einem YouTube-Tutorial ist. Vorweg sollte sich die Klavier-Lehrkraft darüber freuen, dass ein 13-Jähriger bei einer Old-Style-Fachkraft Rat sucht. Und nun dreht er sich, nachdem er den

Anfang seines Stücks stockend, im falschen Rhythmus, mit unmöglicher Handhaltung und abstrusen Fingersätzen vorgetragen hat, hilfesuchend zu ihr um.

Wie wär's, sich zunächst gemeinsam das Tutorial anzusehen, und zwar mit Humor? Bei solchen Tutorials muss man am Anfang ja meist eine langatmige Vorrede über sich ergehen lassen. Der Internet-Lehrer, mehrheitlich ein Laie, spricht in der Regel ungelenk, hat immer irgendeinen kleinen Tick, trägt seltsame Kleidung oder sein „Sendestudio" ist merkwürdig eingerichtet. Immer gibt es Dinge im Tutorial, über die sich trefflich herziehen lässt. Das schafft schon mal eine angenehme Stimmung, in der man mit Schwung elegant zu den Noten des Stücks überleitet. Aber woher kommen nun die Noten?

Internet-affine Klavierlehrer finden im Internet jede Art von Noten. Es gibt nichts, was es dort in allen Varianten und Schwierigkeitsgraden nicht gibt, sofern man weiß, was man als Suchwort einzugeben hat. Entweder findet man eine brauchbare Fassung als Bild oder lädt sich für wenige Cent die Noten per Download herunter. Und sowieso liefert jeder Musikverlag alle denkbaren im Internet bestellten Noten in zwei bis drei Tagen aus. Mit den passenden Noten kann dann der „richtige" Klavierunterricht beginnen. Verhilft man in der Folge dem Schüler besonders geduldig zum Spielen seines Wunschstücks, wird bald von einem gewissen Tutorial keine Rede mehr sein.

28. 1000 -X GEÜBT, 1000-X VERSPIELT

Wenn ich übe, üben auch meine Schüler

Der Weg zum passablen Klavierspiel ist grundsätzlich mühseliger und dauert wesentlich länger als sich ein Anfänger das vorstellt. „Ich hab' gestern so ein schönes Klavierstück im Internet gehört. Wenn ich jetzt mit dem Klavierunterricht anfange, wie lange dauert es, bis ich das kann?" Wer mit solch festumrissenem Ziel zum Klavierunterricht kommt, wird dieses Ziel nicht erreichen. Bleibt der gewünschte Fortschritt aus, wird mancher ungeduldig und gibt auf.

Nur die Freude am bescheidenen Vorankommen durch kontinuierliches Üben Tag für Tag führt zur Zufriedenheit am Klavier. Wie kann eine Klavier-Lehrkraft einen Schüler dabei unterstützen? Zuvorderst indem sie jeden Fortschritt des Schülers registriert und hervorhebt. „Positiv verstärken" tut ein Lob jedoch nur, wenn ein echter Grund dafür vorliegt. Loben um des Lobens willen entfaltet keine Wirkung. Lobt man inflationär, nimmt einen der Schüler nicht mehr ernst und beraubt sich eines nachhaltigen Mittels.

Auch für das Klavierüben ist der Satz „Der Weg ist das Ziel" angebracht. Aber wann ist beim Klavierüben das Ziel erreicht, wenn sich auf dem Weg jeden Meter neue Perspektiven eröffnen? „Sie brauchen doch gar nicht mehr zu üben, so gut wie Sie sind!", bewundern einen Schüler. – „Doch, ich übe noch regelmäßig, denn das Üben findet nie ein Ende. Je besser man wird, desto höher verschiebt sich der Maßstab. Und die ewige Differenz zwischen dem, was man kann, und dem, was man können möchte, bringt einen dazu, immer weiter zu üben, unabhängig vom Spielniveau – etwas was sämtliche geistigen und körperlichen Kräfte lebenslang trainiert."

Klavierüben ist kein Selbstläufer, Klavierüben erfordert viel Geduld,

- weil man den Eindruck hat, auch bei größtem Einsatz immer nur in ganz kleinen Schritten voranzukommen.
- weil man beim Vorspielen meist enttäuscht wird, denn ein Stück klappt selten so, wie man zu Hause gedacht hat.
- weil man bis zu einer mittleren Spielstärke mindestens fünf Jahre braucht – eine lange Spanne in schnelllebiger Zeit.

Dass es sich lohnt, trotz solcher Erfahrungen nicht die Geduld zu verlieren und weiter zu üben, ist das Wichtigste, was man seinen Schülern vermitteln kann. Das geht jedoch nur glaubhaft, wenn man sich selbst noch diesem Prozess stellt.

Wie geht eigentlich Klavierüben? Macht man an einer Stelle einen Fehler, spielt man genau diese Stelle noch mal in Zeitlupe durch. Will sie immer noch nicht klappen, spielt man sie noch langsamer. Dann wird man allmählich wieder schneller und fügt die Stelle in den Zusammenhang des Stückes ein, erst in den näheren, dann in den weiteren. Die ganze Prozedur wird eine Viertelstunde später wiederholt.

Üben Schüler zu Hause so? Nein, so üben Schüler nur unter Aufsicht einer Lehrkraft. Naturgemäß macht man beim Üben Fehler. Oft regen sich Schüler beim Üben über ihre Verspieler auf und bringen sich damit selbst aus dem Konzept. Missgriffe empfinden sie schon während des Übens als störend. Dabei führen erst viele Fehler zu viel Wissen: „Es irrt der Mensch, solang' er strebt" (Johann Wolfgang von Goethe).

Muss man für das Klavierüben Geduld mitbringen oder lernt man Geduld durch das Klavierüben? Geduld ist im Prinzip nichts anderes als Stress-Resistenz, die nur bei hoher Motivation vorhanden ist. Die Motivation aber leidet, wenn ein Schüler sich ständig selbst tadelt, zudem verdirbt das fortwährende Granteln während des Übens die Stimmung. Deshalb ist dem weitverbreiteten Schimpfen der Schüler beim Üben konsequent mit ruhiger Stimme Einhalt zu gebieten, wenn nötig durch striktes Verbot.

Regelmäßiges Klavierüben hat eine Menge Sekundär-Effekte:

- Klavierüben entfacht ein Feuerwerk im Gehirn,
  denn dabei muss man auf die Hände und noch auf viele andere Dinge gleichzeitig achten, was enorm die Konzentrationsfähigkeit trainiert.

- Klavierüben ist eine Übung in Geduld,
  denn lernt man zu akzeptieren, dass es lange dauern kann, bis man etwas beherrscht, wird das Durchhaltevermögen gestärkt.

- Klavierüben verbessert das Gedächtnis,
  denn man muss sich ständig Fingersätze, Vorzeichen, Akkorde, Pausen, Dynamik und was sonst noch alles in den Noten steht merken.

- Klavierüben verschafft Zugang zu Gefühlen,
  denn man wird dazu gebracht, Gefühle nachzuzeichnen und sie dann auch zu empfinden.

- Klavierüben trainiert das Zuhören-Können,
  denn z. B. beim Vierhändig-Spielen muss man auf seinen Mitspieler hören und schult damit allgemein sein Ohr für Anderes.

29. Vorspiele, Fluch oder Segen
Vorspiele von Kindern und Erwachsenen

Der Klassiker: Die Klavier-Lehrkraft lässt ihre ganze Mannschaft antreten, egal wie geeignet ein Schüler für ein Vorspiel ist bezüglich technischem Talent, häuslichem Arbeitseifer und persönlicher Belastbarkeit.

Vorspiele von Kindern

Bei diesen Vorspielen sämtlicher Schüler kommt es zu einem quälend langen Programm stark wechselnder Qualität. Eltern und Großeltern, einzig wegen ihres Sprösslings erschienen, lassen die Prozedur demutsvoll auf unbequemen Klappstühlen über sich ergehen (innerlich lächelnd über die schrullige Klavier-Lehrkraft).

Lädt eine Lehrkraft alle Schüler zum Vorspiel ein, ist das nicht „Gerechtigkeit" gegenüber ihrer Schülerschaft, sondern eine stundenlange Zumutung für Vorspielende und Zuhörer. Einige Kinder spielen zwar gerne vor, die meisten aber beugen sich nur jedes Jahr wieder dem Gruppenzwang. Woher kommen bloß die zahlreichen Geschichten Erwachsener über ihre traumatischen Erlebnisse bei einstigen Vorspielen?

Ein Konzert von maximal 60 Minuten, in denen ausschließlich besonders geeignete Spieler freiwillig auftreten, ist dagegen ein Erlebnis für alle Beteiligten. Aber auch bei den kleinen Schülern, die gerne vorspielen, ist Fingerspitzengefühl angesagt. Kinder, die viel für ihren „Auftritt" geübt haben, schweben in Gefahr bitter enttäuscht zu werden, wenn sie bei einem Stück – das sie zu Hause mit geschlossenen Augen spielen können – vor Publikum herauskommen und nicht mehr hineinfinden. Der Schwierigkeitsgrad von Vorspielstücken sollte deshalb immer deutlich unter der Spielstärke der kleinen Schüler liegen, auch wenn sie sich selbst höher einschätzen.

Bei auffallend ehrgeizigen Kindern sollte man versuchen herauszufinden, ob sie aus eigenem Antrieb vorspielen oder sich dem Erwartungsdruck der Eltern beugen. Kinder-Vorspiele sind immer ein Wagnis. Auch wenn die Lehrkraft die Vorspielstücke noch so lange mit den Kindern zusammen geübt hat, kommt es immer mal wieder vor, dass Tränen fließen, was alle Anwesenden betroffen macht.

Es ist wirklich zu fragen, ob Vorspiele von kleinen Menschen im Reifeprozess grundsätzlich sinnvoll sind, deren Selbstbewusstsein noch im Aufbau ist. Als Leistungsnachweis gegenüber den zahlenden Eltern erscheint die Veranstaltung nur bedingt geeignet, denn der Erfolg des Unterrichts bemisst sich weniger an punktuellen Leistungen, als an den Jahren, die eine Lehrkraft es schafft, das Kind am Klavier zu halten.

Vorspiele von Erwachsenen

Erwachsenen ist, im Gegensatz zu Kindern, eine gewisse Selbstverantwortlichkeit zuzubilligen: Sie können die Beteiligung an einem Vorspiel klipp und klar ablehnen, was sich ein Kind womöglich nicht traut. Nichtsdestotrotz muss auch ein Erwachsener gründlich auf seinen Auftritt vorbereitet werden:

- Für Erwachsene gilt genau das Gleiche wie für Kinder: Vom technischen Niveau her sollte das ausgewählte Vortragsstück deutlich unterhalb der technischen Leistungsgrenze liegen.

- Am allerbesten geeignet ist das Lieblingsstück des Schülers. Je mehr er ein Stück mag, umso eifriger und ausdauernder wird er es üben und die Vorschläge der Lehrkraft annehmen.

- Mindestens drei Monate vor der Veranstaltung sollte auf das Stück ein „Sicherheitsprogramm" angewendet werden, das die Beherrschung aller Einsatzstellen zur Folge hat (siehe Kapitel 32: Schüler haben alles im Kopf).

- Lange vor dem Auftritt legt man mit dem Schüler fest, ob er sein Klavierstück auswendig oder mit den Noten vor Augen vortragen wird.
  Dann wird nur noch auf diese Weise trainiert.

- Nachdem monatelang mit hohem Anspruch am Vortragsstück gearbeitet wurde, korrigiert die Lehrkraft in den letzten drei Wochen den Schüler kaum noch und spendet stattdessen Lob.

- Die trotz bester Vorbereitung stets von einer hohen Adrenalin-Ausschüttung begleitete Vorspiel-Situation sollte in der Count-Down-Phase möglichst oft realistisch durchgespielt werden.

Zum traditionellen Vorspiel der erwachsenen Schüler werden ausschließlich „Elite-Schüler" eingeladen, also die Erwachsenen, die regelmäßig üben. Der beste Zeitpunkt ist ein Samstag im November, der Termin wird schon im Sommer bekanntgegeben. November ist der ruhigste Monat des Jahres, keine Urlaubszeit, die Außen-Aktivitäten sind heruntergefahren, die Weihnachtsfeiern haben noch nicht begonnen, an einem Samstagnachmittag ist der Wochenend-Einkauf erledigt und der Abend bleibt frei.

Dieses jedes Jahr zur gleichen Zeit stattfindende Event ist für die erwachsenen ambitionierten Klavierschüler der Höhepunkt des Klavier-Jahres, auf den sie sich jedes Jahr freuen. Der Nachmittag verläuft stets nach gleichem Ritual: Um 16:00 Uhr erscheinen ausschließlich die vorspielenden Schüler (passive Zuhörer sind trotz häufiger Anfragen nicht zugelassen). Zu Beginn erhält jeder ein „Konzertprogramm“, in dem ein paar Sätze über die gespielten Stücke stehen. In einer kleinen Begrüßungsrede lobt die Lehrkraft Fleiß und Einsatz aller Teilnehmer und betont, dass etwaige Fehler beim Vorspiel nicht schlimm seien und es vor allem auf den Ausdruck ankäme. Dann spielen die Schüler nach Reihenfolge des Programms (im Schwierigkeitsgrad ansteigend), zuerst die Vom-Blatt-Spieler, dann die Auswendigspieler. Am Ende lässt sich die Lehrkraft überreden auch etwas vorzutragen (das übliche Ritual) und natürlich hat sie sich auf diesen Anlass entsprechend vorbereitet.

Nach dem Vorspiel herrscht an der Tafel der Lehrkraft bei Kaffee und Kuchen eine gelöste Stimmung. Einmütig versichern sich die erwachsenen Schüler gegenseitig mal wieder zittrige Finger gehabt zu haben, aber insgesamt sei es doch ein sehr schönes Programm gewesen. Mancher Klavierspieler hat hier ein Stück gehört, das er auch gern einmal spielen möchte. Kurz vor 18:00 Uhr endet die Veranstaltung im Sinne von „The same procedure as very year“ mit der Aufstellung aller Beteiligten vor dem Flügel zum Gruppenfoto (von dem jeder Teilnehmer in der Folgewoche einen großformatigen Abzug erhält). Punkt 18:00 Uhr verlassen alle erwachsenen Schüler das Haus.

30. Humor im Klavierunterricht
Klafünf passt nicht in den Klavierspüler

Mit Humor geht alles besser, das gilt auch im Klavierunterricht in jeder Stunde, die eine Lehrkraft im Leben gibt. Heiterkeit im Klavierunterricht, das sind einerseits spontane kleine Scherze, andererseits die ewig gleichen Schoten, auf die die Schüler schon warten. Für spontane kleine Gags braucht man Schlagfertigkeit – ein Talent, dass nicht jeder Lehrkraft gegeben ist. Die ewig gleichen Witzchen indes kann sich jede Lehrkraft aneignen, die Schüler warten dann immer schon darauf, und das stellt Vertrautheit zwischen Lehrer und Schüler her.

Die Klavier-Lehrkraft, die ihre Schüler zum Lachen bringt, ist beliebter und erfolgreicher als die ewig ernste Lehrkraft. Humor lockert den Unterricht auf, die Stimmung ist entspannt, die Schüler kommen noch ein bisschen lieber zum Unterricht und obendrein kann man ihnen mehr Leistung abverlangen. Ein Standard:

Schüler: „Soll ich das Stück mit der Wiederholung spielen?“

Lehrkraft: „Ich guck’ mal raus. Oh, es regnet! Dann brauchst du das Stück natürlich nicht zu wiederholen!“

Wenigstens einmal pro Unterrichtsstunde sollte ein Schüler schmunzeln. Zieht er nach der Klavierstunde lustig pfeifend von dannen, war es eine gute Stunde (gilt für alle Altersklassen). Ganz kleine Klavierschüler können zum Beispiel von Sprüchen wie diesen nicht genug kriegen:

Lehrkraft (todernst): „Spiel das mal mit der rechten Pfote.“

Schüler (entrüstet): „Ich hab’ aber doch gar keine Pfote!“

Lehrkraft (zerstreut): „Stimmt. Spiel mit der rechten Tatze.“

Schüler (empört): „Ich hab’ aber auch gar keine Tatze!“

Lehrkraft (verträumt): „Stimmt. Spiel mit der rechten Flosse.“

Schüler (pikiert): „Ich hab’ ganz bestimmt keine Flosse!“

Lehrkraft (zerknirscht): „Stimmt. Spiel bitte mit der rechten ...“

Hat sich herumgesprochen, dass man eine humorvolle Lehrkraft ist, steigen manchmal sogar Eltern in lustige Dialoge ein: Ein Vater, der seine kleine Tochter zum Klavierunterricht gebracht hat, lässt über sie ausrichten, warum es denn „Klavier“ heißen würde und nicht „Klafünf“? Die Lehrkraft schreibt ins Aufgabenheft, das etwas größere Klafünf habe sich nicht durchgesetzt, da es nicht in einen handelsüblichen Klavierspüler passen würde.

Manch komischer Moment entsteht auch unabsichtlich: In der Probestunde fragt die Lehrkraft (nach allerlei Erfahrungen) ganz nebenbei, was die Probeschülerin denn für ein Klavier zu Hause habe. Die Marke kenne sie nicht, sagt die Probeschülerin, aber sie könne das Klavier ja mal mitbringen – das „Klavier“ war ein 65 Zentimeter breites batteriebetriebenes Plastik-Modell für 49,50 € vom Elektronik-Markt.

Kinder kommen oft auf Ideen, die einem Erwachsenen nie einfallen würden:

- Ein aufgeweckter Achtjähriger wedelt zu Beginn des Klavierunterrichts mit einem Werbeprospekt herum, den er im Treppenhaus aufgelesen hat, diese Melodie müsse er jetzt unbedingt spielen. Die Lehrkraft versteht nicht. Der Junge stellt den Prospekt auf das Pult und spielt aus der dicken Überschrift *Sonderangebote / Preiskracher* die Vokale, die Noten sein könnten: E A E E E A C E . Dann sagt er: „Das ist aber eine komische Melodie!“

- Eine zehnjährige Schülerin bekommt das Stück mit dem Titel *Gemütlicher Walzer* auf. Damit sie weiß, wie es klingt, spielt ihr die Lehrkraft das Stück vor. Nach dem Vorspiel fragt die Schülerin ganz ernst: „Und wie hört sich das Stück *Ungemütlicher Walzer* an?“

- Ein Elfjähriger erscheint mit der Kapuze seines Sweatshirts auf dem Kopf. Er ist ein fleißiger Schüler und hat zu Hause ein schwieriges Stück geübt. Die Lehrkraft fragt, ob er nicht seine Kapuze vor dem Spielen herunterziehen wolle. Nein, die wolle er lieber aufbehalten, denn wenn er die Kapuze aufhätte, würde er seine Fehler nicht so sehr hören und müsste sich nicht so ärgern.

Nichtübende Schüler sind Alltag im Leben eines Klavierlehrers. Soll sie sich Stunde um Stunde darüber ärgern? Besser ist es, diesen Umstand durch Schabernack in die Leichtigkeit des Seins zu verwandeln:

Lehrer: „Du hast wieder nicht geübt? Was hast du denn heute für eine Ausrede? Es ist weniger schlimm, dass du nicht geübt hast, wenn du eine fantasievolle Ausrede hast. Aber bitte nicht die gleiche wie vorige Woche, als du gesagt hast, das Klavier wäre heruntergefallen und kaputt gegangen“.

Durch Klaumauk in ihrer Einbildungskraft angeheizte Kinder üben zwar immer noch nicht, glänzen aber wenigstens durch ihren Erfindungsreichtum: „Meine Oma hat ihren 21. Geburtstag gefeiert", oder „Musste meinen Hund wegen einer schlechten Note in der Hundeschule zum Extra-Training bringen".

Natürlich können Witze nicht dauerhaft das Üben ersetzen und man muss Schülern durchaus auch mal etwas Druck machen. Aber warum sollten Lehrer und Schüler, wenn letzterer ungeübt in die Klavierschule kommt, nicht auch ein bisschen Spaß haben? Die Lustigkeit in der Stunde darf aber besonders bei jüngeren Schülern nie über einen bestimmten Punkt hinausgehen, womit der Moment gemeint ist, in dem sich die Stimmung derart aufgeschaukelt hat, dass aufgekratzte Kinder nicht mehr „einzufangen" sind. Auch Erwachsene kommen manchmal aus dem lustigen Erzählen gar nicht mehr heraus. Humor und ernsthafter Unterricht müssen stets im Lot bleiben.

IV

Technik

31. Schüler haben ein Repertoire
Allesamt können sie viele Stücke speichern

Nach einigen Monaten Unterricht verfügt ein Klavierschüler über eine Sammlung auswendig gelernter Stücke, wenn die Lehrkraft dafür gesorgt hat. Das funktioniert aber nur, wenn sie den Musikgeschmack des Schülers berücksichtigt (siehe Kapitel 26: Mein Geschmack, nicht deiner). Wenn im Unterricht ein Stück abgeschlossen werden kann, weil der Schüler es beherrscht, fragt die Lehrkraft stets, wie viel ihm an dem Stück liege, vielleicht sogar sehr viel? Dann könne das Stück ein Kandidat für das Repertoire sein. Der Schüler bestimmt also, welche Klavierstücke ins Repertoire kommen. Beratend und ggf. Grenzen setzend weist die Lehrkraft darauf hin, dass ...

... ein Stück gut oder nicht so gut in sein Repertoire passt.
... die Repertoiresammlung nicht unendlich wachsen kann.
... die Stücke darin ab und zu ausgetauscht werden können.

Oft sind Schüler sehr stolz auf ihr Repertoire, das sie sich über Jahre aufgebaut haben. Die Klavier-Lehrkraft kann das beflügeln, indem sie Kindern zum Beispiel erzählt, dass ein Repertoire etwas ganz besonderes sei, über das nur wenige Menschen verfügten, mit Geld sei eine Schatzkiste voller Klavierstücke gar nicht zu bezahlen. Aber auf die Schätze darin müsse man gut aufpassen, sie einmal in der Woche aus der Kiste herausholen, behutsam polieren und wieder an ihren Platz zurücklegen.

Wenn man seine Lieblingsstücke nicht jede Woche mindestens einmal spielt („Lieblingsstücke" wird man nie leid) verlieren sie an Glanz und entgleiten dem Gedächtnis. Durch regelmäßige Wiederholungen werden sie sicher im Gedächtnis verankert und es fühlt sich mit der Zeit so an, als hätte man sie selbst komponiert. Eine Klavierlehrerin traf einen erwachsen gewordenen Klavierschüler, den sie vor 20 Jahren unterrichtet hatte. Er sei jetzt im Beruf sehr eingespannt und käme nicht zum Üben, „aber Sie werden es nicht glauben, meine Repertoire-Stücke kann ich noch und spiele sie immer am Wochenende!"

Ein Repertoire darf nur so groß werden, dass der Schüler es schafft, alle Stücke regelmäßig zu wiederholen. Jede Woche werden im Unterricht ein oder zwei davon vorgespielt und kleine Fehler und Unsicherheiten darin ausgebügelt. Jedes Stück soll einmal mit Notenblick und einmal auswendig gespielt werden. Bei Kindern stehen die Repertoire-Stücke auf der letzten Seite des Aufgabenhefts, bei Erwachsenen auf einem Einlegeblatt in den Noten, die sie in die Stunde mitbringen. Die Klavier-Lehrkraft malt in jeder Stunde ein Sternchen hinter das Repertoire-Stück, das der Schüler in der nächsten Stunde vor dem aktuellen Programm spielen soll. Bei großen Repertoire-Sammlungen können es auch zwei Sternchen sein. Aufgabe der Lehrkraft ist es, die periodische Auffrischung des Bestandes konsequent zu überwachen.

Dabei lauern einige Fallen

- Einsätze:
  Je länger Schüler ein Stück im Repertoire haben, desto sicherer fühlen sie sich dabei, spielen es nur noch von vorn bis hinten durch und haben inzwischen sämtliche Einsatzstellen vergessen (siehe Kapitel 32: Schüler haben alles im Kopf). Also müssen sie ihnen rechtzeitig wieder ins Gedächtnis zurückgerufen werden.

- Tempo:
  Je länger Schüler ein Stück im Repertoire haben, desto schneller spielen sie es, weil es ja so gut „läuft“. Dadurch haben sie es jedoch nur noch in den Fingern gespeichert und nicht mehr im Kopf. Also sollten sie stets rechtzeitig ermahnt werden, das Stück noch mal langsam und mit Notenblick durchzuspielen.

- Fehler:
  Je länger Schüler ein Stück im Repertoire haben, desto häufiger schleichen sich alle möglichen Fehler ein: verkehrte Rhythmen, umständliche Fingersätze oder falsche Töne. Schüler sind dann oft der Ansicht, „das schon immer so“ gespielt zu haben und müssen mühsam vom Gegenteil überzeugt werden.

Eine Klavier-Lehrkraft sollte wissen, wovon sie spricht und selbst über ein regelmäßig gepflegtes Repertoire verfügen (siehe Kapitel 12: Die schlaue Klavier-Lehrkraft) – nichts überzeugt einen Schüler mehr als die Präsentation der eigenen Repertoire-Liste und auswendig daraus vorgespielte Kostproben.

32. Schüler haben alles im Kopf
Allesamt können sie auswendig spielen

Der eine Klavierschüler lernt Stücke sehr schnell auswendig, der andere beherrscht nicht ein einziges Stück auswendig (siehe Kapitel 25: Typisch A-Typ, typisch B-Typ). Ist das eine Frage der Begabung? Nein, jedem Klavierschüler ist sicheres Auswendigspielen vermittelbar. Ohne Noten kann man auf sehr verschiedene Arten spielen:

Der Vortragende spielte das Stück so häufig, bis seine Finger „von alleine" laufen

Ein Stück mit dem „Fingergedächtnis" auswendig zu spielen ist die häufigste Art und Weise von Schülern ohne Noten zu spielen – und die oberflächlichste. Durch vielfaches Durchspielen eines Stückes von Anfang bis Ende ohne dabei nachzudenken gewöhnen sich die Finger so sehr an die Bewegungs-Abläufe, dass sie das Stück schon automatisch spielen. Da automatisch aber unbewusst bedeutet, ist der Kopf an diesem Auswendig-Spiel nicht beteiligt. Das klappt vielleicht in vertrauter Umgebung zu Hause am eigenen Klavier und ohne Zuhörer, im Klavierunterricht jedoch ist dann in der Regel der Stoßseufzer zu hören: „Das habe ich zu Hause soooo gut gekonnt, ich weiß gar nicht, warum ich das hier nicht mehr kann!" Sich allein auf das Fingergedächtnis zu verlassen, geht im Ernstfall meistens schief – trotzdem ist auch das Fingergedächtnis einer der Bausteine für sicheres Auswendig-Spiel, denn manche Abläufe sind gar nicht anders zu bewältigen.

Der Vortragende sieht mit seinem geistigen Auge sämtliche Noten vor sich stehen

Das umgangssprachlich „fotografisches Gedächtnis" genannte Vermögen, einmal „abgescannte" Noten vor dem inneren Auge abrufen zu können, gilt als extrem seltene Begabung, die sich nicht trainieren lässt. Aber auch ohne diese spezielle Begabung vermag man einzelne Stellen in einem Stück visuell zu speichern, indem man sich die Noten intensiv ansieht, sich dann das Bild der Noten mit geschlossenen Augen vorstellt, sich die Noten erneut intensiv ansieht, daraufhin sich die Noten wiederum mit geschlossenen Augen vorstellt. Wiederholt man das an mehreren Tagen hintereinander, brennen sich die Noten durchaus ins visuelle Gedächtnis ein und können beim Auswendigspielen abgerufen werden – auch das einer der Bausteine für sicheres Auswendigspiel.

Der Vortragende folgt seinem Gefühl und Gehör für Intervalle, Tonhöhen und Läufe

Ein erfahrener Klavierspieler entwickelt in all den Jahren, in denen er beim Spielen auf die Tasten geguckt hat, optisch ein Gefühl dafür, wie groß der Abstand zwischen den Tasten sein muss, damit eine Melodie so klingt, wie er sie im Ohr hat, er sieht voraus, wie es auf den Tasten weitergehen muss und welche Tastenkombinationen er drücken muss, um einen bestimmten Klang zu erzeugen. Je mehr jemand im Leben an den Tasten gesessen hat, desto leichter tut er sich mit dem Auswendigspielen nach Gefühl für Intervalle, Tonhöhen und Läufe – ein weiterer Baustein für sicheres Auswendig-Spiel.

Der Vortragende hat den Bauplan des Stücks verstanden und kennt alle Harmonien

Klassische Stücke sind meist nach bestimmten Regeln aufgebaut, zum Beispiel:

- Ein Stück beginnt und endet prinzipiell in der Tonika.
- Der Dominantseptakkord löst in die Tonika oder Tonikaparallele auf.
- Vor der Schluss-Tonika steht in der Regel die Dominante.
- Auf die Doppeldominante folgt in der Regel die Dominante.
- Der Sixte ajoutée leitet fast immer die Dominante ein.
- Der verminderte Septakkord hat vier Auflösungen.
- Vorhalte stehen in der Regel auf einer betonten Taktzeit.

Das ist nur ein kleiner Teil der harmonischen Regeln. Wer viele davon verinnerlicht hat, ist nach einigem Training fähig, sie während der Interpretation eines Klavierstückes nachzuvollziehen. Spielt er auswendig, kann er in etwa abschätzen, was Harmonie-logisch wahrscheinlich im nächsten Takt kommt – abermals ein nützlicher Baustein auf dem Weg zum sicheren Auswendig-Spiel.

Der Vortragende lernte das Stück etappenweise einzeln und beidhändig auswendig

Bei diesem Konzept wird ein zu lernendes Klavierstück zuerst mithilfe bunter Pfeile von „Einsatzstellen" überzogen, die jeden 2. oder 4. Takt oder zu Beginn einer Zeile eingefügt werden – je mehr Einsatzstellen, umso besser. Beim Üben des Stückes wird immer nur ein Teilbereich auswendig gelernt, zuerst mit der rechten, dann mit der linken Hand, schließlich beidhändig. Der Schüler nimmt sich also nicht gleich das ganze Stück vor, sondern übt Abschnitt für Abschnitt so lange, bis er ihn perfekt auswendig kann, erst danach geht er weiter. Das Verfahren ist aufwendig, lässt sich also nur bei einem Klavierstück anwenden, für das der Schüler viel Motivation mitbringt und das er unbedingt im Repertoire haben will. Die Lehrkraft prüft, wie sattelfest der Schüler das Stück beherrscht, indem sie zum Beispiel alle geraden Einsatzstellen hintereinander abfragt und danach alle ungeraden, und sie bringt dem Schüler bei, auswendig blitzschnell von einer Einsatzstelle zur nächsten zu springen, was beim Auswendigspielen große Sicherheit verleiht.

Auch wenn das zuletzt beschriebene Konzept mit den Einsatzstellen die wirksamste Vorgehensweise darstellt, ein Klavierstück nachhaltig auswendig zu lernen, spielen auch die zuvor beschriebenen Methoden eine Rolle: Zeitweilig lässt man immer mal die Finger laufen, ruft das innere Bild eines Taktes ab, registriert mit welchen Tasten welcher Klang erzeugt wird und verfolgt den harmonischen Ablauf. Hat ein Schüler gelernt, beim Spielen aus dem Kopf all diese Strategien abwechselnd zu verfolgen, wird er die Angst verlieren, vor Publikum auswendig zu spielen.

33. Schüler haben eigene Ideen
Allesamt können sie frei improvisieren

Nach jahrelangem Üben hat ein Klavierschüler eine mittlere Spielstärke erreicht. Nun kann er Werke der Klassik oder der U-Musik nach Noten spielen, manchmal auch auswendig. Wird er aber gebeten einmal etwas „Eigenes" zu spielen, also zum Beispiel persönliche Empfindungen auszudrücken, eine Melodie nach Gehör wiederzugeben oder spontan ein Lied zu begleiten, ist die Antwort meist nur hilfloses Schulterzucken. Ist dieser klavierspielende Mensch eben untalentiert für das Improvisieren, hat er halt keine Begabung dafür?

Nein, bei diesem Klavierspieler ist das Improvisieren nur nie gefördert worden, denn jeder, der Klavierspielen gelernt hat, kann auch das Improvisieren erlernen. Von der Harmonielehre haben alle Schüler schon einmal gehört, das meiste davon jedoch – weil nur theoretisch gelernt – wieder vergessen. Werden die einzelnen Bausteine der Harmonielehre in praktische Aufgaben auf den Klaviertasten umgesetzt, können aus diesen Übungen die ersten kleinen Improvisationen entstehen. Dabei eröffnet sich an der Schnittstelle von Gefühl und Verstand die wunderbare Logik der Harmonielehre, und man kann die Leistungen der großen Komponisten erst richtig ermessen, deren Noten man bisher immer gespielt hat, ohne den Aufbau ihrer Werke zu durchschauen.

Mit der praktischen Umsetzung der Harmonielehre gewinnt man zweierlei: auf der einen Seite wird die Harmonielehre stärker im Bewusstsein verankert, andererseits nähert man sich dem Mysterium Improvisation. Klavierspieler haben es wesentlich leichter die Harmonielehre zu begreifen als Geiger oder Sänger, nirgendwo liegen Schwingungs-Verhältnisse, Quintenzirkel, Akkorde so greifbar vor Augen wie auf der Tasttatur. Entgegen landläufiger Meinung ist für das Improvisieren nicht ein Naturtalent Voraussetzung, sondern eine Lehrkraft, die selbst zu improvisieren vermag. Das war kein Lehrstoff im Studium? Weniger durch das Studium als durch die Erfahrungen in der Praxis wird man ein guter Klavierlehrer.

Über die Harmonielehre zur Klavier-Improvisation

Auf den nächste Seiten folgt ein Vorschlag für einen Grundkurs und einen Leistungskurs „Klavier-Improvisation" auf Grundlage der Harmonielehre.

A. Didaktischer Vorschlag für einen Grundkurs

Kapitel 1: Quintenzirkel

- Aufbau Dur-Dreiklang
- Training Dur-Dreiklänge
- Aufbau Moll-Dreiklang
- Training Moll-Dreiklänge
- Quintenzirkel-Grafik
- Merksätze Vorzeichen
- Aufbau der C-Dur-Tonleiter
- Aufbau aller weiteren Durtonleitern

Kapitel 2: Funktionen und Kadenzen

- Funktionstheorie
- Kadenzen
- Beispiele für Kadenzen in bekannten Stücken
- Kadenzmelodie
- Vierstimmige Kadenz in sämtlichen Tonarten

Kapitel 3: Umkehrungen

- Quintakkorde
- Sextakkorde
- Quartsextakkorde
- Intervalle und Fingersätze in den Umkehrungen
- Vierstimmige Kadenzen und ihre Umkehrungen
- Kürzester Weg zwischen TSDT durch gemeinsame Töne der Umkehrungen

Kapitel 4: Melodieentstehung

- Quint-, Sext-, Quartsextakkorde in Einzeltönen
- Improvisationsübungen mit verschiedenen Notenwerten und Taktarten
- Improvisationsübungen in Dur- und Molltonarten,
- Improvisationsübungen mit Einzeltönen, Zweiklängen und Dreiklängen

Kapitel 5: Dreiklangsfremde Töne

- Leitereigene und leiterfremde Töne
- Dreiklangseigene und leiterfremde Töne
- Betonungsverhältnisse in den Taktarten
- Durchgangs-, Vorhalts- und Wechseltöne
- Dreiklangsfremde Töne in Volksliedern

Kapitel 6: Begleitpatterns für die linke Hand

- Begleitpatterns am Beispiel Volkslied
- Übungen für die linke Hand
- Dreiklangs-Repetitionen
- Dreiklangs-Umkehrungen
- Dreiklangs-Arpeggien
- Dreiklangs-Albertibässe
- Auswahl geeigneter Begleitpatterns
- Boogie-Woogie-Begleitfiguren

Kapitel 7: Erweiterungen

- Zusatzton Sixte ajoutée
- Zusatzton kleine Septime
- Klassische Weiterführung des Sixte ajoutée
- Klassische Weiterführung des Dominantseptakkords
- Sixte ajoutée und Dominantseptakkord im harmonischen Kontext
- Umkehrungen von Sixte ajoutée und Dominantseptakkord

Kapitel 8: Tonleitern in Kadenzen

- Die Kraft der Tonleiter
- Sicheres Begleiten mit der linken Hand
- Klangbeispiele für Tonleitern in Kadenzen
- Tonleiter-Fingersätze in allen Durtonarten
- Tonleiter-Fingersätze in allen Molltonarten
- Das Idealtypische an Fingersätzen

Kapitel 9: Gehörbildung

- Bewusstes Improvisieren durch Gehörbildungs-Übungen
- Einen Ton nachsingen kann jeder
- Übungen zur Aneignung der Intervalle
- Intervalle abwärts in Liedern
- Intervalle aufwärts in Liedern

Kapitel 10: Spielen von Volksliedern

- Einstimmige Wiedergabe der Melodie eines Volksliedes
- Heraushören des Grundtons
- Erkennen der Taktart eines Liedes
- Erfassen der Funktionen eines Liedes
- Wahl der passenden Begleitform
- Zusammenhang zwischen Melodie und Begleitung

B. Didaktischer Vorschlag für einen Leistungskurs

Kapitel 11: Kadenzen

- Haupt-, Nebenfunktionen, Umstellung der Funktionen
- Kadenzen mit parallelen Dreiklängen
- Tabelle der leiterfremden Dreiklänge
- Kadenzen mit DD und DDD
- Kadenzen in die parallelen Tonarten und Molltonarten

Kapitel 12: Melodie-Entwicklung

- Intervall als denkbar einfachstes Motiv
- Rhythmisierung, Addition und Umkehrung von Intervallen
- Noten hinzufügen und weglassen
- Was macht eine Melodie gefällig?

Kapitel 13: Melodie-Begleitung

- Unterstützende Zusatztöne unterhalb einer melodieführenden Stimme
- Spezielle Techniken der Melodie-Begleitung
- Melodie-Begleitung von Volksliedern
- Melodie-Begleitung mit Grundtönen, Terzen, Sexten und Akkorden

Kapitel 14: Variationstechniken

- Ornamentale Variationen, rhythmische Variationen, verjazzende Variationen
- Disziplin beim Variieren
- Rondo-Form: geeignet für Variationen
- Sammlung von Liedern für das Üben von Variationstechniken

Kapitel 15: Formenbildung

- Wiederholungen
- Von einer guten zu einer sehr guten Improvisationsidee
- Refrain, Couplet, Variations- und Kontrast-Rondo
- Zwei- und dreiteilige Liedformen
- Schlüsse auf Prime, Terz, Quinte und Tonika

Kapitel 16: Reise durch den Quintenzirkel

- Klassische (D7), romantische (D6/7) und impressionistische Dominantkette (D7/9)
- Jazzige Dominantkette (D7/alt.)
- Doppel-Dominantkette (DD) und Dreifach-Dominantkette (DDD)
- Quarten-, Terz-, Sekund- und Achter-Kette
- Sequenzen

Kapitel 17: Modulation

- Unterschied modulatorische Ausweichung/Modulation
- Modulation durch Funktionsumdeutung
- Modulation kraft gemeinsamer Akkordtöne
- Modulation über den verminderten Septakkord
- Modulation über den Neapolitaner
- Willkürliche Rückungen und „Fremdlinge“ in Akkorden

Kapitel 18: Ausflug in den Jazz

- Stufentheorie: Drei- und Vierklänge auf den Stufen einer Tonleiter
- II-V-I-Verbindung, Jazzakkorde
- Pentatonik und Bluestonleitern
- Phrasierung
- Chromatic Approach
- Optionstöne
- Blues-Schema, Variationen und Schlüsse

Kapitel 19: Improvisationsvorlagen

- Bach: Kleines Praeludium und Praeludium
- Händel: Passacaille, Sarabande
- Beethoven: Paisello-Thema
- Schumann: Rheinische Symphonie
- Burgmüller: Ballade
- Brahms: Walzer
- Tschaikowsky: 1. Klavierkonzert
- Ricky King: Le Rève

Kapitel 20: Praxis der Improvisation

- Zeitaufwand
- Modulation zwischen Stücken
- Zufallsgenerator
- Feste
- Jahreszeiten
- Akustische Täuschungen
- Aktiv Hören
- Nachteile/Vorteile Klavier
- Improvisationen speichern
- Täglich Neues erfinden
- Persönliche Leitmotive
- Selbsterkenntnis und Beeinflussung
- Mühseliges Improvisieren

34. Was sagt jetzt die Lehrkraft?

Sie bewahrt die Spielfreude des Schülers

Die Klavierschülerin spielt dem Klavierlehrer ein Stück vor. Sie war die ganze Woche fleißig, nun gibt sie ihr Bestes und will zeigen, dass sie geübt hat; nach dem letzten Ton dreht sie sich auf der Klavierbank um und erwartet ein Lob. Was der Klavierlehrer registrierte:

Die Schülerin hat ...

... in jeder Zeile einen falschen Ton gespielt.
... sehr viele unpraktische Fingersätze benutzt.
... alle Wiederholungs-Zeichen übergangen.
... die Dynamik-Vorschriften völlig ignoriert.
... im Stück ständig das Tempo gewechselt.
... beim Spielen zu nah am Klavier gesessen.
... beide 5. Finger kein bisschen rund gehalten.

Was sagt der Klavierlehrer jetzt? Würde er nun ihre gesamten Fehler aufzählen, wäre die fleißige Schülerin ziemlich frustriert. Ihr allerdings sagen, sie hätte gut gespielt, wäre gelogen. Was tun?

Zu bewerten ist ein Schüler immer in der gesamten Breite:

- Wie alt ist der Schüler?
- Wie begabt ist der Schüler?
- Wie ist der Schüler heute drauf?
- Wie viel Übezeit hatte der Schüler?
- Wie viel übt der Schüler gewöhnlich?
- Wie schwer ist das Stück für den Schüler?
- Wie viel Kritik kann der Schüler vertragen?
- Wie ist das Befinden der Klavier-Lehrkraft heute?
- Wie ist die Stimmung zwischen Lehrer und Schüler?

Von elementarer Bedeutung sind die allerersten Worte des Klavierlehrers, nachdem die Schülerin vorgespielt hat, denn sie sind es, die bei der Schülerin haften bleiben. Vorrangig ist die Freude der Schülerin am Klavierspielen zu erhalten. Eine erfahrene Lehrkraft erwähnt deshalb stets zuerst was der Schüler gut gemacht hat. Ein ehrliches Lob findet sich immer, es wird nicht alles schlecht gewesen sein. Lob ist der schnellste

Zugang zu einem Schüler. Jeder Schüler, ob jung oder alt, ist für Lob empfänglich, selbst ein Schüler, dem in der Theorie die psychologische Wirkung eines Lobs bewusst ist. Nach einem Lob ist ein Schüler aufgeschlossener für das, was folgt.

Was folgt, ist „wohldosierte Kritik", was meint, dass eine versierte Lehrkraft niemals gleich sämtliche Kritikpunkte hintereinander anführt. Ein Total-Verriss würde jede Schüler-Motivation vernichten. Auch wenn alle Kritikpunkte noch so berechtigt sind, wir sind hier nicht an der Musikhochschule, der Schüler ist kein Profi, Klavierspielen ist sein Hobby, für das er jede Woche neben Schule oder Beruf Freizeit opfert. Den Klavierunterricht wird er auf lange Sicht nur fortsetzen, wenn er mit positiven Erlebnissen verbunden ist. Deshalb ist es angebracht, vor allem mit „positiver Verstärkung" zu arbeiten, was einerseits der Leistung des Schülers zugute kommt, andererseits die Schülerzahl der privaten Lehrkraft beeinflusst. Sehr strenge, stets auf Perfektion bestehende lieblose Klavierkräfte bezahlen ihre starre Haltung meist mit einem sehr überschaubaren Schülerkreis – das lässt sich heute kein Privatschüler mehr gefallen.

Natürlich will der Schüler erfahren, was er besser machen kann. Hat er zum Beispiel nicht leise gespielt, als „piano" in den Noten stand und nicht laut an der Stelle, wo „forte" stand, sagt die Klavier-Lehrkraft nicht, seine Dynamik sei falsch, sondern sie sagt, das Stück höre sich viel interessanter an, wenn er hier leise und dort laut spiele, worauf sie ihm die entsprechenden Stellen vorträgt. Mag der Schüler das Stück, wird er danach versuchen, genauso schön zu spielen wie die Lehrkraft.

Die Kritik am Spiel des Schülers sollte niemals einen den Schüler abwertenden Beigeschmack haben. „Witzige" Bemerkungen auf Kosten des Schülers sind tabu. Die Beurteilung darf nicht „von oben herab" oder im geringsten despektierlich ausfallen. Die Klavier-Lehrkraft sollte es nicht nötig haben, die allwissende Instanz zu spielen, jegliche Überlegenheitsgefühle sind fehl am Platz, sie ist genau wie der Schüler eine Person, die sich bemüht, besser Klavier zu spielen. Der einzige Unterschied zwischen ihnen liegt darin, dass die Lehrkraft schon mehr Zeit am Klavier verbracht hat.

35. Rhythmus- und Notenzeiger

Sehr empfehlenswert im Klavierunterricht

Der Taktstock – Rhythmus- und Notenzeiger – ist ein vorne spitz zulaufendes Fiberglas-Stöckchen mit Griffstück aus Kork oder Holz, das als verlängerter Arm des Dirigenten seine Bewegungen verstärkt. Im Klavierunterricht verwandelt sich der Taktstock in ein Arbeitsgerät, das jedem Klavierlehrer unentbehrlich erscheint, der es einmal ausprobiert hat. Einerseits kann man mit der dünnen Spitze des Noten- und Rhythmuszeigers präzise auf einen Notenkopf zeigen, ohne andere Noten zu verdecken, andererseits ist er so leicht, dass der Arm nicht ermüdet. Der Taktstock als Noten- und Rhythmuszeiger hat viele Einsatz-Möglichkeiten:

- als synchroner-Rhythmus-Unterstützer:
  Während der Schüler spielt, tippt man mit der Spitze des Noten- und Rhythmuszeigers synchron auf die zu spielende Note. So zeigt man dem Schüler den Rhythmus auch an vertrackten Stellen.

- als visueller Rhythmus-Unterstützer:
  Während der Schüler spielt, schlägt man den Takt in der Luft. Das tut man mit einem Notenzeiger mit einem halben Meter Abstand zum Schüler und entfernt sich peu à peu, bis er die Bewegungen des Taktstocks nur noch aus den Augenwinkeln wahrnimmt.

- als akustischer Rhythmus-Unterstützer:
  Während der Schüler spielt, klopft man auf Klavier, Tisch oder Stuhl. Durch seine Filigranität besteht keine Gefahr, Kerben in die Möbel zu hauen.

- als Noten-Lern-Unterstützer:
  Die Klavier-Lehrkraft tippt auf eine Note in Bass- oder Violinschlüssel und der Schüler sagt, wie die Note heißt. Zusätzlich kann man den Wert der Note und weitere musikalischen Zeichen im Notentext abfragen.

- als Noten-Lese-Unterstützer:
  Ganz junge und alte Klavierschüler eint, dass sie manchmal Schwierigkeiten haben, einem Notentext mit den Augen zu folgen. Für sie ist es eine große Hilfe, wenn die Spitze des Noten- und Rhythmuszeigers just in time parallel auf den Notenköpfen mitläuft.

36. Einen Rhythmus vermitteln
Von der Lehrerhilfe zur Schülerautarkie

Hat ein Schüler Schwierigkeiten mit einem Rhythmus, sind abgestufte Maßnahmen erforderlich in Form von ...

... *maximaler* Lehrerhilfe;
... *mittlerer* Lehrerhilfe;
... *mäßiger* Lehrerhilfe.

Bei der *maximalen* Lehrerhilfe ...
... spielt die Lehrkraft einhändig eine Oktave über dem Schüler mit;
... deutet die Lehrkraft dabei mit dem Notenzeiger auf die Noten;
... zählt die Lehrkraft laut und vernehmlich den Rhythmus mit.
Mehr geht nicht; durch dieses *maximale* Engagement der Lehrkraft kann ein Schüler gar nicht anders, als nach ein paar Runden richtig zu spielen.

Bei der *mittleren* Lehrerhilfe lässt die Lehrkraft die erste Maßnahme weg (einhändig Mitspielen eine Oktave höher).

Bei der *mäßigen* Lehrerhilfe lässt die Lehrkraft auch die zweite Maßnahme (Notenzeiger) weg und beschränkt sich aufs laute Mitzählen.

Weicht der Schüler erneut auch nur ein bisschen vom richtigen Takt ab, fährt die Lehrkraft wieder ihre Hilfe auf *mittlere* oder gar *maximale* Stufe hoch. Dieses Verfahren wird so lange wiederholt, bis der Schüler dauerhaft flügge geworden ist.

Dieses Vorgehen der Lehrkraft führt garantiert zum Erfolg, hat jedoch auch etwas von „Führen am Gängelband". Ziel muss auf lange Sicht sein, einen Schüler autark zu machen, ihm also zu vermitteln, wie er sich auch die kompliziertesten Rhythmen selbst beibringen kann.

Das Mittel der Wahl auf dem Weg zur Selbstständigkeit kann nur lautes Zählen des Schülers selbst sein. Viele Schüler sträuben sich anfänglich dagegen und behaupten das „einfach nicht zu können". Dieses Abwehrverhalten gegenüber einer weiteren Dimension im Multi-Tasking-Vorgang Klavierspielen ist verständlich. Zum Zählen während des Klavierspiels müssen Schüler aber unbedingt gegen ihren Widerstand ertüchtigt werden, da sie sonst in Sachen Rhythmus nie eigenständig werden.

So bringt man Schülern in vier Schritten rhythmische Sicherheit bei

1. Schritt

Nachdem man dem Schüler erklärt hat, wie man grundsätzlich zählt (Metrum, Notenwerte, Einfügen von „und“), zählt die Lehrkraft zusammen mit dem Schüler die infrage kommenden paar Takte erst einmal „trocken“, dass heißt, ohne Klavierspiel.

2. Schritt

Der Schüler soll immer noch „trocken“ zählen, aber diesmal alleine, und zwar laut, kurz und bündig. Die militärische Art zu zählen ist kein Selbstzweck, sondern lässt den Schüler einen Rhythmus auch körperlich empfinden, so reißt er sich selbst mit.

3. Schritt

Als Nächstes bringt man den Schüler dazu, beharrlich immer weiter zu zählen, während die Lehrkraft die entsprechenden Takte auf dem Klavier spielt. Das wiederholen beide so oft, bis der Schüler beim Zählen nicht mehr herauskommt und stabil zählt.

4. Schritt

In der Endstufe soll der Schüler die Takte selbst spielen und dazu zählen. Zunächst noch unterstützt ihn die Lehrkraft dabei durch lautes Mitzählen. Manchmal muss sie mit dem Schüler auch noch wieder zum 3., 2., oder 1. Schritt zurückkehren.

37. Ideal-Fingersätze gibt es nicht

Mein Fingersatz ist nicht dein Fingersatz

Eine Klavier-Lehrkraft liebt den Grand Valse Brilliante op. 34, Nr. 1 von Frédéric Chopin über alles. Dieses Stück hat sie schon lange im Repertoire und wird es wohl ihr Leben lang spielen. Natürlich hat sie für alle schwierigen Stellen die besten Fingersatz-Lösungen ausgetüftelt. Bindungen, Betonungen und Ausdruck bewältigt sie jetzt nahezu perfekt – aber sind ihre maßgeschneiderten Fingersätze auch für alle ihre Schüler optimal?

Jeder Schüler, der über ausreichend Technik verfügt, op. 34, Nr. 1 anzugehen, hat in Sachen Gestalt und Beweglichkeit andere Hände als sein Lehrer. „Ein Fingersatz muss der natürlichen Form der Hand folgen" (alte Klaviertechnik-Weisheit). Da es auf der Welt keine zwei Klavierspieler mit anatomisch gleichen Händen gibt, kann es keinen allgemein gültigen Fingersatz für alle Klavierspieler geben: „Richtige" oder „falsche" Fingersätze gibt es nicht, sondern nur auf den Spieler zugeschnittene.

Oft stehen in den Noten schon Fingersätze. Das sind keine unbedingt zu befolgenden Anordnungen, sondern Empfehlungen des Herausgebers. Manchmal sind sie eine gute Anregung, immer jedoch sollte man sie auf ihre persönliche Brauchbarkeit hin überprüfen. Ein Klavierspieler sollte selbst herausfinden, welcher Fingersatz für ihn der beste ist und im Unterricht lernen, wie er ihn sich erarbeiten kann.

Das Ermitteln des individuell besten Fingersatzes ist ein Prozess, der ein paar Tage dauern kann. Manchmal – das passiert Amateuren und Profis gleichermaßen – verennt man sich mit einen Fingersatz. Gestern noch hat man lange daran herumgetüftelt und war überzeugt davon, eine geniale Option gefunden zu haben. Heute staunt man über den umständlichen Fingersatz, den man gestern hingeschrieben hat. Oft glauben Schüler für eine Stelle den optimalen Fingersatz gefunden zu haben und wollen partout nicht einsehen, dass der auf den ersten Blick einfachste Fingersatz nicht immer die beste Lösung ist. Ein Fingersatz muss aber stets im Gesamt-Zusammenhang eines Stückes gesehen werden. Zu bedenken ist,

... wie es in den folgenden Takten weitergeht,
... ob es in dem Stück ganz ähnliche Stellen gibt,
... wie schnell das Stück am Ende gespielt wird.

Manchmal reicht die Handspanne eines Schülers nicht über eine Oktave hinaus. Das genormte Standard-Maß von Anfang der einen bis zum Anfang der nächsten Klaviertaste beträgt 23,6 mm. Darf man als Klavier-Lehrkraft die Noten für einen Schüler „erleichtern", also an den Noten, die ein Beethoven oder ein Chopin so geschrieben hat, Veränderungen vornehmen? Das ist zu vertreten, wenn es nur um ein oder zwei Takte geht, und ein Schüler ansonsten die Original-Noten im Griff hat. Sind viele Änderungen nötig, wird es das falsche Stück für den Schüler sein. Ist er noch jung, kann man ihn auf später vertrösten, weil seine Hand wachsen wird.

38. Der farbige Klavierunterricht
Eine Dimension mehr im Klavierunterricht

Musik ist für die Ohren, Farbe ist für die Augen. Zwar geht es im Klavierunterricht um Musik, aber rund 80 Prozent aller Informationen holen wir uns mit den Augen ins Bewusstsein, und so sollte auch im Klavierunterricht der Seh-Sinn nicht zu kurz kommen. Farben können allwöchentlich wiederkehrende Rituale unterstreichen und wichtige Dinge hervorheben. In den Aufgabenheften der Kinder und Jugendlichen notiert die Klavier-Lehrkraft alles immer mit den gleichen Farben, etwa Datum und Nummer der Unterrichtsstunde in schwarz, die zu wiederholenden Repertoire-Stücke in blau und Besonderes in rot.

Die Generation, bei der „Handschrift" weitgehend durch „Eintippen" ersetzt wurde, verfolgt andächtig die geschwungene Schönschrift der Lehrkraft, wenn sie etwas ins Aufgabenheft schreibt. Wehe, sie weicht einmal von der gewohnten Farbe für einen Vorgang ab! Dann protestieren Kinder und Jugendliche sofort – wiederkehrende Strukturen geben ihnen Sicherheit und sie gewöhnen sich schnell an etwas.

Bei Erwachsenen, die keine Aufgabenhefte haben, werden bunte Eintragungen in ihren Noten vorgenommenen. Jede Woche ist eine andere Farbe dran, wodurch auf den ersten Blick zu erkennen ist, wie lange schon an einem Stück geübt wird. Manche Erwachsene entwickeln sportlichen Ehrgeiz darin, möglichst wenig Farben auf den Seiten zu haben, aber erst, wenn ein Stück im Unterricht mindestens einmal völlig makellos vorgetragen wurde, erhält es den begehrten roten Haken hinter dem letzten Takt.

Die Farbe Rot ist übrigens nicht verhandelbar, übende Schüler dürfen (und sollen sogar) Eintragungen in ihren Noten vornehmen – aber niemals in Rot, rot ist wie in der Schule konsequent Lehrerfarbe. Rot verwendet die Lehrkraft relativ sparsam, Rot bedeutet Achtung, in Rot stehen im Heft Ermahnungen, doch bitte etwas mehr zu üben, Rot sind abweichende Termine und anderes Beachtenswertes.

Die in der Unterrichtsstunde verwendeten Buntstifte fallen ins Auge, denn sie trohnen in einem schräg geneigten Kasten auf dem Klavier. Dafür eignet sich zum Beispiel ein Kochbuch-Halter; man nimmt das geriffelte Aufbewahrungs-System aus der Buntstift-Packung und stellt es in den Kochbuch-Halter. Es sollte schon eine größere Menge von Buntstiften sein, mindestens dreißig. Schüler jeden Alters fasziniert der Anblick so vieler (nach den Regeln des Farbkreises geordneter) Buntstifte. Manchmal dürfen sich Schüler eine Farbe aussuchen, mit der die Lehrkraft eine Eintragung in den Noten vornimmt, was besonders bei kleineren Schülern Begeisterung auslöst. Buntstifte gibt es in sehr unterschiedlicher Qualität, an ihnen sollte man nicht sparen. Am besten geeignet sind sogenannte Künstlermalstifte, die sich durch weiche, ölbasierte Minen auszeichnen, was besonders intensiv leuchtende Farben von hoher Deckkraft ergibt. Künstlermalstifte sind einzeln nachkaufbar und ihre Minen brechen nicht so leicht. Von namhaften Herstellern sind bis zu 120 Farben erhältlich.

39. Der Klang der Lehrerstimme
Mit der Stimme den Klavierunterricht steuern

Die Stimme eines Menschen vermittelt Informationen nur zum Teil durch Worte – mindestens ebensoviel Wirkung haben Stimmlage, Betonung, Tonfall und Artikulation. Von der Stimme einer Lehrkraft hängt im Unterricht viel ab: Wohlgefühl, Leistung und Disziplin eines Schülers.

- Klingt die Stimme der Lehrkraft freundlich und großherzig, erscheint der Schüler gerne und fühlt sich gut aufgehoben.
- Klingt die Stimme der Lehrkraft geduldig und aufmunternd, entspannt sich der Schüler und spielt viel besser Klavier.
- Klingt die Stimme der Lehrkraft entschieden und eindringlich, weiß der Schüler, wo es langgeht und erkennt die Grenzen.

Eine erfahrene Lehrkraft lenkt den Klavierunterricht maßgeblich mit ihrer Stimme. An dieser spüren die Schüler sofort, ob die Lehrkraft ihnen wohlgesonnen ist. Schon bei wenig Ungeduld in der Lehrerstimme sind Schüler irritiert. Natürlich kann ein Lehrer auch mal gestresst sein, kein Mensch ist in jeder Minute des Arbeitstages vollkommen ausgeglichen. Man sollte sich jedoch noch während des Aussprechens der Ungeduld in seiner Stimme bewusst sein und die Situation sogleich entschärfen, indem man im nächsten Satz einen ganz anderen, weichen Ton anschlägt.

Ein Beispiel: Draußen regnet es seit dem Morgen, die 48-jährige Klavierlehrerin hat schlecht geschlafen. Nach dem Ehekrach gestern Abend ist sie müde, verspürt ein Kratzen im Hals, befürchtet eine Erkältung und ihre Schulter ist auch schon wieder verspannt. Überdies hat sie leichte Kopfschmerzen: Nach acht Wochen Unterrichten ist sie einfach urlaubsreif. Der unsichere 13-jährige Schüler neben ihr hat mal wieder nicht geübt, besonders talentiert ist er sowieso nicht. Aber heute stellt er sich besonders doof an. Nach einer etwas zu resoluten Aufforderung, eine Stelle jetzt aber mal langsam zu spielen, wirft der Schüler seiner Lehrerin einen scheuen Blick zu, dann spielt er noch schlechter. Jetzt kann er sich gar nicht mehr konzentrieren.

Befund: Die 48-jährige Klavierlehrerin hat ein wenig die Nerven verloren, was zum geringeren Teil daran zu merken war, was sie sagte, sondern wie sie es sagte, es war der Unterton in ihrer Stimme. Aber Sie hat ihren Ausrutscher sofort bemerkt, und nun tut ihr der 13-jährige unsichere Schüler leid; deshalb bemüht sie sich in der verbleibenden Zeit ihren Fauxpas wieder gut zu machen und kümmert sich besonders liebevoll und behutsam um den Schüler, macht mit sanfter Stimme einen kleinen Scherz, lächelt den Schüler an, sagt „lass uns die Stelle nochmal versuchen, du schaffst das schon“ und lobt ihn über die Maßen, als er die Stelle nach längerem gemeinsamen Üben tatsächlich einmal fehlerlos hinkriegt.

Eine Klavier-Lehrkraft kann sich mit ihrer Stimme nach etwas Training auch selbst beeinflussen. Registriert sie während des Unterrichtens, dass sie innerlich genervt ist und sich sehr bemühen muss, nicht ungehalten zu werden, lassen sich solche Spannungen durch Autosuggestion abmildern: zunächst achtet die Lehrkraft darauf, tief und gleichmäßig zu atmen, dann sagt sie sich langsam und in großer Ruhe mit innerer Stimme mehrmals: „Nichts ist wirklich schlimm, im Prinzip geht's mir doch gut, alles o.k., wirklich alles o.k.“

Manchmal muss eine Lehrkraft ihre Stimme auch ganz bewusst einsetzen, um im Unterricht wieder jene Ordnung herzustellen, ohne die kein vernünftiger Klavierunterricht möglich ist. Einmal außer Rand und Band geratene kleine Schüler kann man nur mit ziemlich rigoroser Stimme wieder einfangen. Das gelingt in den meisten Fällen durch das doppelte Instrumentarium der ziemlichen strengen und ziemlich lauten Stimme. Ab und zu ist man tatsächlich gezwungen, mit so einer akustischen Autoritäts-Bekräftigung kurzzeitig aus der Rolle der sonst stets zugewandten, engelsgleich geduldigen Lehrkraft auszusteigen.

Ganz schlimme kleine Rabauken, die es wirklich darauf anlegen, einem auf der Nase herumzutanzen, sind allein durch einen kurzen, ziemlich lauten Ruf zu bändigen – womit man noch lang keine autoritäre Lehrkraft ist – besonders wenn man, nachdem der kleine Frechling erschreckt zusammengezuckt ist, für den Rest der Stunde wieder die stets zugewandte, engelsgleich geduldige Lehrkraft ist.

40. Wunder des inneren Mitspiels
Auf einmal spielt der Schüler viel besser

Das Wunder ereignet sich täglich im Klavierunterricht: Eine Schülerin spielt im Unterricht zwei mal hintereinander dasselbe Stück. Aber beim zweiten Mal spielt sie ganz anders als beim ersten Mal. Das hat auf geheimnisvolle Weise etwas mit der Klavier-Lehrkraft zu tun.

1. Vorspiel

Der Klavierlehrer

... wandelt, während die Schülerin ihr Stück vorspielt, innerlich auf Abwegen. Er schaut in Richtung der Noten, aber er hört nicht richtig zu, ist bei keinem Fingersatz mental dabei, fühlt nicht mit, denkt während des Vorspiels an etwas anderes.

Die Klavierschülerin

... spielt nicht besonders gut, bleibt unter ihren Möglichkeiten.

2. Vorspiel

Der Klavierlehrer

... verfolgt die Noten konzentriert und lässt sich kein Detail entgehen. Er spielt, ohne sich zu bewegen, das gesamte Stück inwendig mit, benutzt alle Fingersätze, beachtet alle Zeichen und versenkt sich so, als würde er das Stück selbst spielen.

Die Klavierschülerin

... spielt gut, bewegt sich am oberen Rand ihrer Möglichkeiten.

Dass eine Lehrkraft einen Schüler ohne äußerliche Beeinflussung allein durch ihr inneres Verhalten unterstützen kann, ist eine Erfahrung aus tausenden Unterrichtsstunden. Existiert nach vielen gemeinsam verbrachten Unterrichtsstunden vielleicht eine verborgene Verbindung zwischen Lehrer und Schüler? Ist eine erfahrene Lehrkraft in der Lage durch Kontemplation (auf welch wundersamen Wege auch immer) Signale an das Unterbewusstsein eines Schülers zu senden, der ihr vertraut? Existiert im Klavierunterricht vielleicht eine *Vierte Dimension*?

Das Phänomen lässt sich nicht damit erklären, dass die Lehrkraft doch unbewusst ihrer persönlichen Beteiligung Ausdruck verleiht, indem sie zum Beispiel beim Spiel des Schülers mit den Füßen klopft, den Oberkörper hin und her wiegt, oder auf andere Weise sichtlich Anteilnahme signalisiert – es geht hier tatsächlich um das innere Mitgehen; die Lehrkraft bleibt dabei ganz ruhig sitzen und ihr ist äußerlich nicht anzusehen, ob sie gerade intensiv „mitspielt" oder schon vom nächsten Urlaub träumt – nur im ersten Fall wird der Schüler tatsächlich besser spielen.

Im Grund genommen ist es nicht nötig, für dieses Mysterium eine rationale Erklärung zu finden, es existiert einfach, und man kann es in der Praxis anwenden. Man hört dann nicht „normal" zu, sondern steigert sich meditativ ins aktive Hören hinein. Das ist jedoch nur zeitweise möglich, denn auch der tüchtigste Klavierlehrer und die tüchtigste Klavierlehrerin schaffen es nicht, sechs, sieben oder gar acht Stunden am Stück mit solch extremer Konzentration zu arbeiten. Eine Lehrkraft braucht sich für das Gegenteil des intensiven inneren Mitspiels, das zeitweilige gedankliche Abschweifen im Unterricht, auch nicht zu schämen – muss sich aber immer wieder selbst zur Ordnung rufen.

V

Geschäft

41. Probestunde Klavierunterricht

Wie man viele neue Klavierschüler gewinnt

Hat man in der örtlichen Tageszeitung, in einem Anzeigenblatt oder im Internet eine Anzeige für Klavierunterricht geschaltet, fragen Interessenten am Telefon oder per Mail oft als erstes danach, wie teuer denn der Unterricht sei. Wahrscheinlich sind sie gerade dabei ein Klavierunterrichts-Angebot nach dem anderen abzutelefonieren oder anzuschreiben, und das Wichtigeste ist ihnen dabei der Preis. Dass sie als erstes an Geld denken, kann man ihnen nicht verübeln – sie haben (nicht vertraut mit der Materie) halt noch kein anderes Kriterium für die Beurteilung einer Klavier-Lehrkraft.

Als privater Anbieter von Klavierunterricht sollte man das Pekunäre allerdings erst einmal umgehen, da man im Wettbewerb um das billigste Angebot nur verlieren kann. So lässt sich auf die Frage nach dem Honorar zum Beispiel antworten:

- „Die Probestunde kostet Sie erst einmal gar nichts."
- „Für wen ist denn der Klavierunterricht gedacht?"
- „Das hängt davon ab, wie lang der Unterricht dauert."
- „Möchten Sie alle 7 oder alle 14 Tage Unterricht haben?"
- „Bisher konnte ich mich noch mit jedem einigen."
- „Sie werden mit dem Preis bestimmt zufrieden sein."
- „Kommen Sie doch einfach mal zwanglos vorbei."

Reitet der Anwärter dann immer noch ausschließlich auf dem Geld herum, ist seine Motivation für das Klavierspielen zweifelhaft. Das wird kein guter Kunde, jeder weitere Dialog ist Zeitverschwendung. Die mit einem ernsthaften Interessenten vereinbarte kostenlose Probestunde ist ein Angebot, dass es beiden Seiten leicht macht, miteinander in Kontakt zu treten. Dabei kommt es zu einer Situation, die für den Schüler ungewohnt ist, die erfahrene Lehrkraft jedoch hat sie schon hunderte Male erlebt. Dieses Ungleichgewicht ist keineswegs unfair, denn der Kunde will ja im Grunde Klavierspielen lernen, zaudert nur noch etwas. Die Lehrkraft gibt ihm dann lediglich den letzten Anstoß für sein Vorhaben, indem sie ihm hilft seine eigenen Wünsche klar zu erkennen und ihnen nachzugehen.

Ein typisches Beispiel für den Ablauf einer Probe-Klavierstunde: Es erscheint eine Mutter mit ihrem 7-jährigen Sohn. Beim Vorgespräch mit der Mutter bezieht die Lehrkraft den schüchternen Jungen bereits mit ein, in dem sie ihn immer wieder anlächelt. Von seinem abweisenden Verhalten lässt sie sich nicht irritieren, denn sie weiß, dass dahinter nichts als Unsicherheit steckt. Schließlich bittet sie das Kind freundlich ans Klavier. Für seine ersten kleinen Erfolge bei der Beschäftigung mit dem Ton „C“ (siehe Kapitel 9: Wie früh schon Klavier lernen) lobt die Lehrkraft das Kind sofort, ein erstes Lächeln huscht über das Gesicht des Jungen, und bei der weiteren spielerischen Annäherung an das Klavier taut er langsam auf.

Nach 15 Minuten ist der „Unterricht“ beendet. Hat der siebenjährige Schüler genug Erfolgserlebnisse gehabt, dreht er sich zur Mutter um und antwortet auf die Frage „Möchtest du denn bei Herrn X/Frau Y Unterricht haben?“ mit heftigem Kopfnicken – worauf alle glücklich sind, Kind, Mutter, Lehrkraft. Das Eis ist gebrochen und die Lehrkraft geht noch mit der Mutter das „Merkblatt für den Klavierunterricht“ durch (siehe Kapitel 42: Vertragsloser Klavierunterricht), wobei der Preis für einen besonders engagierten Klavierunterricht nur noch Formsache ist. Zum Schluss fragt der Junge noch zur allgemeinen Erheiterung: „Können wir morgen anfangen?“

In Sachen „Kostenlose Probestunde“ muss sich ein Privatlehrer natürlich schützen. Ratsam ist es schon am Telefon die Frage zu stellen, ob denn ein Klavier zu Hause stehe, und wenn nicht, ob geplant sei, ein Klavier zu kaufen bzw. zu mieten. Jemand der angibt, er würde beim Nachbarn üben, lässt es an Ernsthaftigkeit fehlen. Beim geplanten Klavierkauf kann man anbieten, den Schüler samstags in die Stadt zu begleiten (siehe Kapitel 43: Ein Königreich für ein Klavier). Des Weiteren sollte man vor der Probestunde fragen, wo der Schüler wohnt, denn selbst wenn ein Schüler beteuert, dass die große Entfernung kein Problem sei, weiß doch die Klavier-Lehrkraft aus Erfahrung, dass in diesem Fall schnell eine Kündigung droht, wenn nur ein einziger negativer Faktor dazukommt und schlägt deshalb vorsorglich einen 14-Tage-Rhythmus vor.

42. Vertragsloser Klavierunterricht

Besser funktioniert es ohne einen Vertrag

Es gibt den „Mustervertrag für den Klavierunterricht" vom Deutschen Tonkünstlerverband, auch andere Interessenverbände bieten solche Arbeitshilfen an. Als Privat-Musiklehrer braucht man aber gar keinen Vertrag, viel besser läuft es ohne! Bei den von den Kommunen subventionierten städtischen Musikschulen ist grundsätzlich vor Aufnahme des Unterrichts ein Formular zu unterzeichnen, dass für das gesamte Schuljahr gilt, eine Kündigung ist nur zweimal im Jahr möglich. Diese Verträge berücksichtigen mehr die Belange der Musikschulen als die der Schüler. Bei privatem Klavierunterricht hat der Schüler dagegen nicht so sehr das Gefühl, bevormundet zu werden.

Eine selbstständige Lehrkraft kann damit werben, dass ein Schüler jederzeit mit dem Unterricht beginnen und aufhören kann. Für am Klavierunterricht Interessierte sinkt so die Hemmschwelle, es einmal ganz unverbindlich mit dem Klavierunterricht zu versuchen, da man sich nicht von vorneherein für einen längeren Zeitraum festlegen muss. Das bringt der freischaffenden Lehrkraft im Wettbewerb mit der städtischen Konkurrenz unterm Strich mehr als ein Dokument, das im Ernstfall viel zu aufwendig einzuklagen wäre (kleine Streitsumme).

Noch weitere Vorteile gibt es beim Verzicht auf einen Vertrag, weil sich der Unterricht individueller auf den Schüler zuschneiden lässt:

- Dauer 20/30/45/60 Minuten, flexibel hinsichtlich des Wochentages
- Häufigkeit alle 7 oder alle 14 Tage bzw. nach Absprache
- Unterrichtsort: Lehrerwohnung oder Schülerwohnung
- Nachholtermine ohne oder mit Preisaufschlag

Ohne Vertrag, der ein halbes oder sogar ein ganzes Jahr „Gehalt" garantiert, steht die Lehrkraft unter Druck: Klavierspielen ist für Schüler nicht lebensnotwendig. Von Monat zu Monat kann ein Erwachsener, der vielleicht doch lieber sein Handicap beim Golfspielen verbessern will, kündigen, kann eine Jugendliche, weil sie so viel Hausaufgaben machen muss, spontan die Flinte ins Korn werfen, kann ein elfjähriger Junge, der beleidigt ist, weil die Lehrerin ihm verboten hat auf den Tasten herumzuklimpern, zu seinen Eltern sagen „Ich will nicht mehr Klavierspielen!". Eine freischaffende Lehrkraft ist also abhängig von den Prioritäten, die ein Erwachsener in seiner Freizeit setzt, von der Menge an Hausaufgaben, die eine Jugendliche zu bewältigen hat, und von den Launen eines Elfährigen. So ist die Privat-Lehrkraft zwar „selbstständig", hat aber ganz viele kleine und große „Chefs".

Eine Privat-Lehrkraft muss an jedem Arbeitstag Stunde für Stunde auf der Hut sein, dass ein Schüler nicht „abspringt". Erspürt sie bei einem Schüler erste Anzeichen für ein Abdriften, verdoppelt sie ihre Anstrengungen. Dafür sind ein gerüttelt Maß an persönlicher Flexibilität, Fingerspitzengefühl und ständig hohe Aufmerksamkeit erforderlich – was für eine Herausforderung! Eine Aufgabe, der möglicherweise nicht jeder mit dem „Bachelor Klavier" in der Tasche gewachsen ist, es funktioniert ja auch nicht jedes Start-up.

Der Job der Klavier-Lehrkraft auf dem freien Markt ist eine

... Berufung, die sich um Musik dreht, wunderbar;
... Tätigkeit, die einem eine Menge Freiheiten lässt;
... Leistung, die einen ziemlich stolz machen kann;
... Arbeit, die dem Emsigen einiges Geld einbringt;
... Aktivität, die auch im Alter noch zu meistern ist.

Zwar ist für die Aufnahme des Klavierunterrichts kein Vertrag nötig, aber ganz ohne Regeln kommt auch ein Freelancer nicht aus und händigt deshalb Probeschülern das Merkblatt für den Klavierunterricht aus (siehe Seite 112), das auch von den meisten akzeptiert wird. Die häufigsten Nachfragen gibt es zum Punkt 4 (Ferienregelung): „In den Ferien muss ich weiterzahlen, obwohl da gar kein Unterricht ist?" Die Standard-Antwort lautet: „Das ist an der Städtischen Musikschule genauso." Außerdem sei in die Durchbezahlung der Ferien der aufs ganze Jahr berechnete Stundenlohn für eine studierte Lehrkraft eingepreist, und dass auch im Privatunterricht die Schulferien gelten würden, sei gar nicht anders machbar, da der größte Teil der Klavierschüler noch zur Schule ginge. Erwachsenen, die in den Schulferien niemals in Urlaub fahren, kann man mit dem ermäßigten „Tarif II" entgegenkommen.

Merkblatt für den Klavierunterricht

1. Kein Vertrag

- Ein schriftlicher Unterrichtsvertrag ist nicht erforderlich.
- Kündigungen sind einen Monat im voraus anzukündigen.

2. Termine

- Der Unterricht findet an einem fest vereinbarten, wöchentlichen Termin statt.
- Der Unterricht findet an einem fest vereinbarten Termin alle 14 Tage statt.
- Der Unterricht findet nach besonderer Absprache statt.

3. Unterrichts-Ausfälle

- Ausfälle, die die Lehrkraft zu verantworten hat, werden nachgeholt oder in bar abgegolten.
- Ausfälle, die der Schüler zu verantworten hat, können auf Kulanzbasis nachgeholt werden (nur Tarif I).

4. Ferienregelung

An gesetzlichen Feiertagen, in den Schulferien des betreffenden Bundeslandes, Rosenmontag und Fastnachtsdienstag findet kein Unterricht statt.

5. Honorar

Die genannten Honorare sind rückwirkend am Ende des Monats für den abgelaufenen Unterrichtsmonat fällig.

Tarif I (Standard): Ferienregelung wie an Schulen des Landes
Stunden-Nachholungen: ab und zu möglich

Tarif II (ermäßigt): Ferienregelung wie an Schulen des Landes
Stunden-Nachholungen: nicht möglich

	Tarif I	Tarif II
30 Minuten	XX €	XX €
45 Minuten	XX €	XX €

6. Familien-Ermäßigung

Wird für das erste Familienmitglied nach Tarif I bezahlt, erhalten weitere Familienmitglieder einen Rabatt von XX €.

43. Ein Königreich für ein Klavier
Von der Bontempi-Orgel bis zum Steinway

Klavierschüler üben daheim auf ziemlich unterschiedlichen Instrumenten, das reicht vom billigen Keyboard über ein betagtes verstimmtes Klavier mit Elfenbein-Tasten bis zum schwarz-glänzenden Steinway-Flügel. Denkt der Schüler daran ein neues Klavier zu erstehen, kann man ihm anbieten mit ihm zusammen an einem Samstagmorgen die örtlichen Klavier-Händler aufzusuchen. Diese meist dankbar angenommene Beratung

... garantiert, dass der Schüler ein gutes Klavier zu Hause hat,
... festigt das emotionale Band zwischen Schüler und Lehrer,
... wird den Schüler länger Klavierunterricht nehmen lassen.

Schon vor dem gemeinsamen Gang zum Klavierhaus sollte der finanzielle Rahmen abgesteckt werden. Ein neues akustisches Klavier von annehmbarer Qualität ist ab 3.500 € erhältlich (bei Amazon lässt sich übrigens – Stand August 2021 – noch kein akustisches Klavier per Klick bestellen). Im Geschäft angekommen, spielt der Klavierlehrer auf den Instrumenten dort immer das gleiche Stück vor, ein Stück, das langsame, schnelle, leise und laute Stellen enthalten sollte.

Wie klingt ein Klavier? Weicher oder härter? Romantischer oder klarer? Voller oder spärlicher? Ein Laie kann das durchaus beurteilen, wenn man ihn dazu ermutigt, die Ohren zu spitzen. Auch das Äußere des Klaviers, seine Form und die Holzfarbe sind ernstzunehmende Argumente für oder gegen ein Instrument, das vielleicht ein Leben lang im Wohnzimmer stehen wird. Das Beste ist, wenn sich ein Schüler in ein Klavier verliebt. Umso begeisterter wird er später daran sitzen und üben.

Nach langen Jahren des Unterrichtens kennt man alle Klavierläden der Stadt. Sorgfältiger Abwägung bedarf eine geschäftliche Verbindung zwischen Musiklehrer und Klavierhändler. Letzterer bietet den Lehrern oft eine Provision an, wenn sie einen ihrer Schüler in den Laden gelotst haben und es zum Abschluss kommt. Üblich sind fünf Prozent der Kaufsumme, in Einzelfällen auch mal zehn Prozent.

Gewöhnlich läuft der Deal ohne Wissen des Klavierschülers ab. Demzufolge gerät die Lehrkraft in einen Loyalitäts-Konflikt, denn die fünf oder gar zehn Prozent Provision kann man in der Regel auch beim offiziellen Verkaufsgespräch herunterhandeln, was dann dem Klavierschüler zugute käme. Man steckt sich also Geld auf Kosten des Klavierschülers in die Tasche, wovon dieser, der einem vertraut, nichts ahnt. Was ist höher zu bewerten, eine möglicherweise langfristige Verbindung mit einem Schüler, der dankbar dafür ist, dass man für ihn ein paar Prozente herausholt, oder das schnell verdiente Geld hinter dem Rücken des Schülers? Allerdings sind auch die Zeit, die der Lehrer am Wochenende opfert, die Einbringung seines Sachverstandes und das Klavier-Vorspiel in die Waagschale zu werfen.

Scheut ein Schüler die Geldausgabe für ein neues Piano, gibt es mit einem Gebraucht-Klavier oder einem Miet-Klavier Alternativen. Beim Gebraucht-Klavier ist der Schüler noch mehr auf Beratung angewiesen, denn preiswerte Angebote aus dem Internet können alles Mögliche bedeuten. Die Bandbreite reicht von einem guten Instrument, das die Erben möglichst schnell los werden wollen, bis zum absoluten Schrott-Teil. Die beratende Klavier-Lehrkraft sollte sich schon etwas mit Klaviertechnik befasst haben und fähig sein, ein gebrauchtes Klavier anhand einer Checkliste zu beurteilen:

- Ist die Höhe der Tasten überall gleich?
- Wie seitenbeweglich sind die Tasten?
- Bleiben einzelne Tasten hängen?
- Wie tief sind die Hammerkopf-Rillen?
- Scheint der Stahl-Rahmen unversehrt?
- Weist der Resonanzboden Risse auf?
- Sind Saiten oder ihre Umwicklung rostig?

In Sachen Mietklavier kommen einem die Klavierhändler inzwischen weit entgegen. Häufig nur 40 € im Monat für ein annehmbares Gebraucht-Klavier sind ein niederschwelliges Angebot. Um Klavier zu spielen, muss man nicht unbedingt „reich“ sein. Es gibt mannigfaltige Optionen:

- Miete eines fabrikneuen Klaviers
- Miet-Kauf eines neuen Klaviers
- Ratenzahlung eines Neu-Klaviers
- Ratenzahlung eines Gebraucht-Klaviers

Obendrein locken die meisten Händler oft mit günstiger Finanzierung, einem kostenlosen Klaviertransport, der Zugabe einer Klavierbank oder einer Klavierlampe. Am Erfindungsreichtum der Angebote ist abzulesen, dass die Klavierhäuser schon seit geraumer Zeit schwer zu kämpfen haben. Nach einer Erhebung stehen etwa acht Millionen Klaviere oder Flügel in deutschen Haushalten, oft jahrzehntealte Familien-Instrumente, die noch gut in Schuss sind. Das Problem: Klaviere, besonders die deutscher Qualitätshersteller, sind einfach zu langlebig! Der Schöpfer von Eroica und Mondscheinsonate musste noch des öfteren einen neuen Flügel kaufen, weil er seine Instrumente regelmäßig mit donnerndem Spiel in Kleinholz zu verwandeln pflegte. Die seinerzeit noch hölzernen Rahmen waren der tonnenschweren Zugkraft der Saiten nicht gewachsen. Doch seit Ende des 19. Jahrhunderts die Gussrahmen eingeführt wurden, haben Klaviere und Flügel – regelmäßige Wartung und einigermaßen schonende Behandlung vorausgesetzt – eine lange Lebensdauer und sind nahezu unbegrenzt haltbar, wenn bei jeder Stimmung intoniert und nachreguliert wird und alle 20 Jahre Hammerköpfe und Seiten-Garnierung erneuert werden. Relativ wenige Klaviere werden folglich neu gekauft.

Der Kunde, der in diesen Tagen ein Klavierhaus betritt, ist also König. Das sollte nicht dazu führen, dass er das ausnutzt und den Klavierhändler nach dem Motto „Geiz ist geil“ wie eine Zitrone auspresst: „Woanders kriege ich das Digitalpiano in schwarz Hochglanz aber viel billiger“, denn die Marge der Händler wächst nicht in den Himmel. Noch unfairer ist der Trend zu folgender Vorgehensweise: Der Interessent genießt den Service des örtlichen Klavierhauses wie die ausführliche Beratung und das Panorama vieler bereitstehender Tasteninstrumente, bestellt aber, zu Hause angekommen, das beim Händler probegespielte Klavier für ein paar Euro weniger bei einem Internet-Anbieter, der keinerlei Ausgaben für Ladenmiete, Fachpersonal und Ansichts-Instrumente hat. Wem Klaviere ein bisschen am Herzen liegen, sollte weiterdenken und am Erhalt der Klavier-Infrastruktur in seiner Heimatstadt interessiert sein – ein Zusammenhang, den man kaufwilligen Schülern durchaus nahebringen kann.

Immer öfter werden Klavier-Lehrkräfte mit der Frage konfrontiert, was sie denn von einem elektronischen Klavier hielten, das sei doch im Vergleich zu einem altmodischen Klavier viel praktischer! Aber welche Klavier-Lehrkraft ist schon von einem Digitalpiano begeistert? Sich für ein „richtiges“ Klavier ins Zeug zu legen lohnt sich schon deshalb, weil Schüler durch die Umstellungsschwierigkeiten vom elektronischen Instrument zu Hause auf das akustische bei der Lehrkraft nicht selten die Lust am Klavierspielen verlieren. Übrigens lässt sich jeder der oft vorgebrachten Gründe für die Elektronik leicht entkräften:

Ein Digitalpiano braucht nicht so viel Platz

Die Platzfrage ist das häufigste Argument für ein Digitalpiano – und das, was am wenigsten zutrifft. Dies zeigt der Vergleich zweier Standard-Instrumente: *Clavinova CLP 340*, produziert von der japanischen Firma Yamaha, und *Classic Tradition*, ein häufig verkauftes Modell der Firma Schimmel aus Deutschland.

Ein Größenvergleich

	Breite:	Tiefe:
Clavinova CLP 340, Yamaha:	140 cm	51 cm
Classic Tradition, Schimmel:	149 cm	55 cm

Beim Digitalpiano spart man also 90 Millimeter in der Breite und 40 Millimeter in der Tiefe. Reicht das, um einem akustischen Klavier ein Digitalpiano vorzuziehen? Die Imitation ist ausschließlich im schwarzen Plastik-Gehäuse erhältlich, bei einem Original-Klavier dagegen kann man unter vielen Holzarten wählen: Erle, Eibe, Buche, Ahorn, Fichte, Linde, Nussbaum – mal abgesehen von den Oberflächen: poliert, seidenmatt, mattglänzend, satiniert oder gewachst. Und nur die Instrumente aus Holz gibt es in den unterschiedlichsten Formen und Stilen: klassisch, verspielt, streng oder modern.

Ein richtiges Klavier ist ein kostbares Möbelstück aus Holz, Stahl und Filz, das jedes Wohnzimmer ziert und zu dem man eine emotionale Beziehung aufbaut. Gern schaut man es jahrzehntelang an – hinsichtlich seiner Ausstrahlung ist das Digitalpiano davon meilenweit entfernt.

Ein Digitalpiano ist preiswerter.

Die Preise für ein vernünftiges Digital-Piano, das seinem akustischen Bruder wenigstens ein bisschen nahekommt, beginnen bei 1.500 €. Für diese Summe erhält man ohne weiteres ein wertiges Gebraucht-Klavier, entweder bei einem Händler oder nach etwas Suchen von privat. Dieses Instrument behält bei pfleglicher Behandlung viele Jahre seinen Wert.

Der Preisverfall bei einem Digitalpiano hingegen ist so immens wie bei allen sonstigen elektronischen Geräten: Schon ein paar Monate nach seinem Erwerb lässt es sich für kaum noch die Hälfte verkaufen. Das akustische Klavier braucht keinen Strom – beim elektronischen kommt da über die Jahre einiges zusammen. Geht an einem künstlichen Klavier mal eine Taste kaputt, ist die Reparatur aufwendig, die einzelne Taste gar nicht zu reparieren, das ganze Board muss ausgetauscht werden. Beim herkömmlichen Klavier mit seiner anschaulichen Technik lassen sich dagegen sämtliche Tasten einzeln herausnehmen und kann sie jeder Klavierstimmer reparieren.

Ein Digitalpiano muss nicht gestimmt werden.

Nein, ein Digitalpiano muss nicht gestimmt werden, so wie ein Weihnachtsbaum aus Plastik niemals nadelt. Aber zieht man deshalb zu Weihnachten einen zusammenklappbaren Kunststoff-Weihnachtsbaum einem nach Harz und Tannenwald duftenden echten Baum vor? Ist beim Klavierkauf das Praktische das Wichtigste? Die aus einem Lautsprecher kommenden Töne beim Digitalpiano sind „Samples", digital gespeicherte Aufnahmen eines echten Klaviers. In diesem Verfahren wird meist nur jeder dritte Ton eines Klaviers aufgezeichnet und die Töne dazwischen von den aufgezeichneten Tönen abgeleitet. So bleibt der Klang künstlich, eine konstruierte Nachahmung des Originals. Beim traditionellen Klavier erreichen die mechanisch erzeugten realen Schwingungen der Saiten nicht nur das Ohr, sondern werden vom ganzen Körper aufgenommen: Man „hört" auch mit dem Bauch!

Ein Digitalpiano ist praktischer beim Umzug

Wie oft zieht man um? Die allermeisten Digitalpianos stehen viele Jahre am selben Platz. Ahmt ein Digitalpiano auch äußerlich ein „richtiges" Klavier nach, hat es einen ebenso breiten Unterbau mit unten befestigten Pedalen, womit es beim Transport genauso sperrig ist wie ein Holzklavier. Allerdings ist ein Digitalpiano mit ca. 40 kg natürlich viel leichter als ein akustisches mit 180 kg Gewicht. Plastik ist nun mal leichter als Holz. Jedes Umzugsunternehmen ist jedoch heutzutage darauf eingestellt, ein normales Klavier mit entsprechendem Equipment zu transportieren. Empfehlenswerter sind jedoch spezialisierte Klaviertransportunternehmen.

Ein Digitalpiano macht keinen Krach

Auch akustische Klaviere machen keinen Krach, wenn man ein *Silent-System* eingebaut hat – zweifelsohne der Königsweg, denn damit verfügt man über ein „normales" akustisches Klavier und genießt gleichzeitig den einzigen wirklichen Vorteil eines Digitalpianos: Niemand fühlt sich gestört, wenn man mit aktivierter Silent-Funktion und aufgesetzten Kopfhör in der Mittagszeit oder nachts in die Tasten haut. So verfügt man über zwei Instrumente in einem und muss beim Spielen mit Silent-Funktion nicht auf das authentische Spielgefühl der Tasten eines akustischen Pianos verzichten. Das Silent-System (oder „Stummschaltung") lässt sich zum Preis eines einfachen Digitalpianos in jedes akustische Klavier, ja sogar in einen Flügel einbauen. Bei einigen Klavierherstellern kann man das System sogar ab Werk mitbestellen.

Ein Digitalpiano ist MIDI-fähig

Das Digitalpiano kann auf Knopfdruck viele Instrumente imitieren, das Chembalo, die Kirchenorgel, Streicher und Bläser oder sogar die menschliche Stimme. Über den Klang, der dabei herauskommt, lässt sich jedoch streiten. Ein digitaler Orgelklang verhält sich zu einer richtigen Kirchenorgel wie künstliche Rosen zu natürlichen Rosen. Ja, es kann Spass machen, all diese Möglichkeiten einmal auszuprobieren, zu hören, wie Bachs C-Dur-Praeludium wohl auf einer Orgel klingt oder Alla turca im Streicherklang.

Für Filmkomponisten ist die Arbeit mit gesampelten Klängen tatsächlich unverzichtbar; diese verfügen allerdings über professionelle Klangbibliotheken von unvergleichlich höherer Leistungsfähigkeit als ein 08/15-Digitalpiano. Aber schon das Potenzial, das im MIDI-Anschluss eines Digitalpianos steckt – die Möglichkeit, das Digitalpiano mit dem Computer zu verbinden – wird ein durchschnittlicher Klavierspieler mangels Sachkenntnis nie auch nur annähernd ausloten.

Es verhält sich wie überall in der Welt der digitalen Möglichkeiten: Mit einer Wortfindungs-App wird man noch nicht zum Schriftsteller, durch die Qualität der Smartphone-Kamera nicht zum Regisseur, durch das Wissen von Wikipedia nicht zum Professor. So sind die Instrumenten-Klänge im Digitalpiano im Prinzip nur eine

Spielerei, die der „normale“ Klavierspieler bald leid wird. Ist einem Klavierschüler die auf Strom angewiesene Variante des Klaviers partout nicht auszureden, sollte das Digitalpiano diese Mindestanforderungen erfüllen:

- 88 gewichtete Tasten
- Hammertastatur mit Anschlagsdynamik
- 128-stimmige Polyphonie
- fest angebrachte Fußpedale
- Kopfhöreranschluss

Auch wenn sich die fernöstlichen Hersteller viel Mühe geben ein richtiges Klavier nachzuahmen, kann es bauartbedingt nicht anders sein, dass das Fingergefühl auf Tasten, die keinen Hammer veranlassen, eine Saite anzuschlagen, nur annähernd einem akustischen Klavier entspricht. Erfahrungsgemäß gewöhnen sich die Spieler auf einem Digitalpiano einen harten undifferenzierten Anschlag an, weil sie sich selten die Mühe machen, die Kopfhörer aufzusetzen, sondern beim Spielen einfach die Lautsprecher-Lautstärke herunterdrehen, um niemanden zu stören. Schüler mit Digitalpianos erkennt man daran, dass man sie in jeder Unterrichtsstunde 20-mal ermahnen muss, nicht so hart anzuschlagen, wenn sie einmal in der Woche an einem richtigen Klavier sitzen.

Vor allem aber wird jemand, der mit Herz und Seele Klavier spielt, beim Digitalpiano die eine innigliche Verbindung zwischen Musiker und Instrument herstellende Lebendigkeit der vibrierenden Saiten vermissen – etwa wie es gefühlsmäßig einen Unterschied macht, auf einem Simulator im heimischen Keller Ski zu fahren oder eine echte Piste in prachtvoll weißer Winterlandschaft hinunter zu schwingen.

44. Unterricht in „guter" Gegend
Großzügigkeit und besonderes Ambiente

Als die Angestellte eines Sozialverbandes ihrer Chefin eröffnete, dass sie kündige, weil sie noch mal Klavier studieren wolle, erntete sie den Spruch: „Du hast also vor, Kindern reicher Eltern das Klavierspielen beizubringen?“ Es lässt sich nicht leugnen, Klavierspielen ist eine Angelegenheit der „besseren Kreise“. Hartz-V-Empfänger nehmen in den seltensten Fällen Klavierunterricht – wobei ein geringes Einkommen dafür nicht ausschlaggebend ist.

Die Spielekonsole, der den ganzen Tag laufende Riesen-Fernseher, Fast Food und Alkoholkonsum kosten auch Geld. Schon für eine halbe Schachtel Zigaretten pro Tag (100 €/Monat) kann man locker Klavierunterricht nehmen, für eine ganze Packung (200 €/Monat) übt man dazu auf einem kleinen Leih-Flügel. Entscheidend für ein Interesse am Klavierunterricht ist weniger fehlendes Geld als das Familien-Milieu, das sich häufig über Generationen fortsetzt.

Steht in einem Wohnzimmer eine Bücherwand, hat jemand in der Familie studiert, spielt schon einer in der Verwandschaft ein Instrument, bekommt ein Kind häufiger Klavierunterricht. Solche Familien findet man in einem Stadtviertel häufiger, im anderen seltener. Je höher der Mietpreisspiegel einer Wohnlage, desto bessere Chancen hat dort ein Privat-Musiklehrer, sein Auskommen zu finden. Als Berufsanfänger steht man also vor der Wahl, entweder in einem gutsituierten Stadtbezirk teuer zu wohnen, dafür aber höhere Stundensätze verlangen zu können, oder preiswert zu wohnen mit geringeren Einnahmen.

Hat man sich für eine „gute“ Gegend entschieden, gilt es erst einmal ein Dach über dem Kopf zu finden. Zum Start muss es nicht die 120-Quadratmeter-Wohnung sein, aber wer mit einem Mercedes-Benz, 7er BMW oder Porsche-Cayenne zur Probestunde vorfährt, erwartet zumindest in dem Zimmer, in dem der Unterricht stattfindet, eine gepflegte Atmosphäre.

Ein wahres Beispiel – oder wie man es nicht machen sollte

Zur Souterrain-Wohnung der Klavierlehrerin, die neben der Waschküche eines Mehrfamilienhauses liegt, geht es eine mäßig beleuchtete Treppe hinab. Auch in der Wohnung ist es nicht besonders hell (man achtet auf den Stromverbrauch). Im Unterrichtsraum findet sich auf einem abgelaufenen Teppich ein älteres Klavier mit abgestoßenen Kanten. An der Wand steht ein Bücherregal, auf den durchhängenden Brettern liegen kreuz und quer ein paar Bücher. Von der Yucca-Palme in der Ecke müssten mal ein paar braune Blätter entfernt werden. Ein orangener und ein weißer Plastik-Klappstuhl stehen da, der orangene ist wackelig: „Setzen Sie sich lieber auf den weißen!" Die Tür zu einem winzigen Nebenzimmer steht offen, dahinter ist nicht richtig aufgeräumt, es riecht nach Kohlgemüse. Die ein wenig ungelenke Klavierlehrerin in dickem Pullover, ausgebeulter Hose und Gesundheitslatschen ist auf ihre Art sehr bemüht, hatte aber noch nie mehr als 15 Schüler gleichzeitig und unterrichtet seit Jahren zum gleichen, niedrigen Stundensatz.

Will man als Privat-Klavierlehrer das Gehalt bekommen, das einem nach vielen Jahren des Übens und des Studiums zusteht, darf man nicht zu bescheiden auftreten, ein wenig Empfinden für ein geschmackvolles Wohnungsambiente und die eigene Erscheinung sollte schon vorhanden sein. Das heißt nicht, dass man mit Markenkleidung und Designer-Sofa protzen muss, aber man legt so viel Wert auf Harmonie und Schönheit in der Musik, warum soll da das Auge nachstehen? Ist man unsicher in Geschmacksfragen, kann man sich von stilsicheren Freunden beraten lassen.

Während des Studiums lag der Focus ganz bestimmt nicht auf „Äußerlichkeiten". Das ist jetzt im Business anders. Man zieht die Klientel an, die man selber darstellt. Will man mindestens das deutsche Durchschnitts-Einkommen erzielen und vielleicht noch etwas mehr, muss man sich in der Welt der „Besserverdiener" bewegen können. Wer klein denkt, verdient klein, Großzügigkeit zahlt sich im Geschäftsleben aus. Punkte bei den Schülern lassen sich zum Beispiel durch die Gefälligkeit sammeln, grundsätzlich alle Notenkopien und Originalnoten kostenlos zu überreichen, ein verhältnismäßig geringes Invest, das schon für ein ganzes Jahr gedeckt ist, wenn nur ein einziger Schüler deswegen einen Monat länger Unterricht nimmt.

45. Unterricht in eigener Wohnung

Hier ist den ganzen Tag fortissimo möglich

Wer vorhat, privat Unterricht zu erteilen, steht vor der Frage, an welchem Ort er unterrichten kann, ohne dass sich jemand gestört fühlt.

Grundsätzlich gibt es drei Möglichkeiten:

- Unterrichten im Hause des Schülers,
- Unterrichten im angemieteten Raum,
- Unterrichten in der eigenen Wohnung.

Unterrichten im Hause des Schülers

Besucht man die Schüler zu Hause, bedeutet das einen beträchtlichen Mehraufwand: schlecht planbare Fahrradfahrten im Winter, Parkplatzsuche mit dem Auto, Fahrtzeit, Fahrtkosten und das allgemeine Unfallrisiko. Das Honorar muss gemessen am Normalpreis wenigstens doppelt so hoch sein, sonst rechnen sich Hausbesuche nicht. Weil nur wenige Schüler diesen Preis zahlen, ist diese Variante eher etwas für Noch-Nicht-Etablierte, Hobby-Klavierlehrer, Nebenbei-Verdiener und Musikstudenten, die mit einem geringeren Stundenlohn zufrieden sind, nichts aber für Privatlehrer, die ihren kompletten Lebensunterhalt durch Klavierunterricht bestreiten.

Unterrichten im angemieteten Raum

Extra einen Raum in einem „guten" Wohnviertel zu finden, um dort ausschließlich zu unterrichten, dürfte nicht leicht sein, zudem zehrt die Miete mindestens den Verdienst eines Unterrichts-Nachmittags auf. Natürlich kann man sich eine Zweizimmerwohnung mit einer anderen Lehrkraft oder eine Dreizimmerwohnung mit zwei anderen Lehrkräften teilen, dann hat man eine kleine private Musikschule. Kalkuliert man so ein Projekt durch, kommt man jedoch meist zu dem Ergebnis, dass der zu erwartende Gewinn nach Abzug sämtlicher Kosten unter dem Strich nie den Betrag übersteigt, der beim Unterricht in den eigenen vier Wänden zu erzielen ist – warum sich also das Risiko hoher Fixkosten ans Bein hängen, die Monat für Monat erwirtschaftet werden müssen?

Unterrichten in eigener Wohnung

Das Unterrichten in der eigenen Wohnung stellt von Aufwand, Rendite und Risiko her die wirtschaftlichste Lösung dar. Doch dafür muss erst einmal eine Wohnung gefunden werden, in der tagtäglich stundenlang Klavier gespielt werden kann.

1998 stellte der Bundesgerichtshof in einem Grundsatzurteil fest, dass Hausmusik prinzipiell nicht mehr störe als Radio oder Fernsehen, ein generelles Spielverbot sei deshalb unwirksam. Hausbewohner dürften jedoch nicht „über Gebühr" gestört werden, besonders seien die sogenannten Ruhezeiten von 13:00 – 15:00 und von 22:00 – 06:00 Uhr einzuhalten. „Musik ist angenehm zu hören, doch ewig braucht sie nicht zu währen" (Wilhelm Busch).

Eine Menge unterschiedlicher Gerichtsurteile gibt es darüber, wie viel Musizieren außerhalb der Ruhezeiten gestattet ist; in ihnen spielt oft die Hellhörigkeit eines Hauses und die Art des Instruments eine Rolle, Blockflöte darf man zum Beispiel länger als Schlagzeug spielen. Im Durchschnitt halten die Gerichte zwei bis drei Stunden Musik am Stück für zumutbar. Diese Zeitspanne reicht nicht aus, wenn man vom Unterrichten leben will, deshalb muss eine besondere Wohnung gefunden werden.

Ideal für jeden Klavierlehrer (und überhaupt jeden Musiker) ist ein freistehendes Haus oder ein kleines Gartenhaus mit Heizung. Aber welcher Berufsanfänger erbt schon zum passenden Zeitpunkt so eine Immobilie? In einer Eigentumswohnung ist man übrigens hinsichtlich möglicher Schall-Probleme keineswegs besser dran als in einer Mietwohnung. Man muss unter Umständen länger Jagd auf sie machen, aber es gibt sie, Wohnungen, in denen ein Musiker unbeschränkt üben und unterrichten kann. Sie zeichnen sich durch solche Merkmale aus:

- Die Wohnung liegt an einer vielbefahrenen Straße:
  Der Straßenlärm übertönt das Klavier.
- Die Wohnung liegt über einem quirligen Supermarkt:
  Unbeeindruckt schieben die Kunden ihre Einkaufswagen.
- Die Wohnung liegt unter einem geschäftigen Büro:
  Das Büro ist ab 17:00 und am Wochenende leer.
- Die Wohnung ist umgeben von Single-Appartements:
  Die meisten Bewohner sind tagsüber auf der Arbeit.
- Die Wohnung wird von einem Förderer vermietet:
  Der mag als Musikliebhaber das künstlerische Milieu.

Findet sich – noch dazu in einer „besseren" Gegend – eine solche Bleibe, hat man das große Los gezogen. Aber auch dann gilt es einiges zu beachten: Arbeits- und Wohnbereich müssen beispielsweise strikt voneinander getrennt sein. Können die Schüler in die Küche oder ins Schlafzimmer gucken, ist das amateurhaft und hat möglicherweise finanzielle Folgen, denn unwillkürlich mutet den Kunden die Situation dann eher freundschaftlich als professionell an und er ist weniger bereit einen im Vergleich mit der Städtischen Musikschule höheren Preis zu zahlen. In einem Appartement kann der Wohnbereich durch einen deckenhohen Vorhang abgetrennt werden. Selbstverständlich sind Unterrichtsraum und Weg dorthin jederzeit penibel aufgeräumt, gut gelüftet und nichts Überflüssiges steht herum!

Immer wieder mal müssen kleine und große Schüler auf Toilette. Im Prinzip kann man das niemandem versagen, aber die Benutzung der Privat-Toilette sollte die Ausnahme bleiben. Gewöhnt sich eine Person daran in jeder Unterrichtsstunde auf die Toilette der Lehrkraft zu gehen, ist es gerechtfertigt, sie auf die sanitären Anlagen der nahen Gastwirtschaft zu verweisen. Bei kleinen Kindern liegt dem Wunsch, jedes Mal auf Toilette zu wollen, oft eine Sekundär-Motivation zugrunde; dann darf man schon mal erzieherisch tätig werden, denn nach 10 Minuten ist der dringende Wunsch meist wieder vergessen.

Ein Vermieter muss es übrigens nicht dulden, dass in einer zu Wohnzwecken angemieteten Wohnung geschäftliche Aktivität in Form von Klavierunterricht stattfindet, nach einer Abmahnung kann Zuwider-Handeln zur fristlosen Kündigung führen. Es ist also bei einer Mietwohnung in jedem Fall ratsam, beim Vermieter vorher die Erlaubnis zum Unterrichten einzuholen. Die Lizenz in einer Wohnung unterrichten zu dürfen erhält man eher, wenn man dem Vermieter erklärt, dass man nur jeden dritten Tag unterrichten würde. Das ist aller Erfahrung nach möglich, wenn man drei Tage in der Woche richtig vollpackt (siehe Kapitel 49: Alle Schüler im Stundenplan). Aufs Jahr gesehen würde dann an weniger als jedem 3. Tag in der Wohnung Klavierunterricht gegeben. Die Rechnung geht so:

- 52 Wochen zählt das Jahr
- 12 Wochen Ferien im Jahr
- 40 Wochen Betrieb im Jahr
- 40 Wochen x 3 Tage = 120 Unterrichtstage
- 120 Unterrichtstage sind nicht mal jeder 3. von 365 Tagen im Jahr

46. Reich durch Klavierunterricht
Wenig-Verdiener und Viel-Verdiener

Der eine Privatmusiklehrer verdient viel, der andere wenig. Umstände, die das Einkommen erhöhen:

Unterrichts-Platz

- Unterrichten in der eigenen Wohnung
- Wohnung liegt nicht höher als 1. Stock
- Berufliche Nutzung ist offiziell erlaubt
- Wohnung ist ansprechend eingerichtet
- Haltestellen ÖPNV ganz in der Nähe
- Parkmöglichkeiten nicht weit entfernt

Unterrichts-Umfeld

- Unterricht in einer wohlhabenen Stadt
- Gehobene Sozialstruktur im Quartier
- Niemand stört sich am Klavierspiel
- Kein konkurrierender Lehrer rundum
- Lange Wartezeiten an der Musikschule
- Viele Allgemein-Schulen in der Nähe

Lehrkraft: Persönlichkeit

- besitzt große persönliche Ausstrahlung
- wirkt gepflegt und kleidet sich stilvoll
- sieht bei jedem Menschen das Positive
- arbeitet sehr gern mit kleinen Kindern
- findet schnell Zugang zu Erwachsenen
- kann sich täglich selbst hintenanstellen

Lehrkraft: Geschäftssinn

- schloss Studium mit dem Bachelor ab
- hat Disziplin und Organisationstalent
- kann unbeirrt Ansprüche durchsetzen

- verfügt über eine robuste Konstitution
- ist nervlich erstaunlich belastungsfähig
- beherrscht das Idiom „besserer“ Kreise

Ferner gibt es noch die Nebenbei-Klavierlehrer

- schon längere Zeit verwitwete Damen mit großen, verstimmten Flügeln aus der Gründerzeit
- in Diensten der Amtskirche stehende Organisten, die sich in ihrer Gemeinde etwas hinzuverdienen
- Hausfrauen mit Klavier, dank gut verdienender Ehemänner nicht auf viel Honorar angewiesen
- nette Nachbarn oder Verwandte ohne Ausbildung. Etwas Klavierspielen können sie aber
- leicht verschrobene Lebenskünstler, verlangen pro Stunde 12,50 €, liefern dafür gratis Ideologie mit

„Klavierlehrer“ dieser Provinienz sind keine echte Konkurrenz, nach einiger Zeit wechseln Schüler oft zu professionellen Klavier-Lehrkräften. Aber was verkaufen diese „Profis“ eigentlich? In der Branche werden keinerlei fassbare Gegenstände angeboten, es gibt keine definierten Umsatzziele, kalkulierbare Renditen, weder Rationalisierungsdruck noch Markt-Strategien, die Preisschilder hängen an Schall und Harmonie, Schönklang und Rhythmus, Freude am Lernen und an persönlicher Weiterentwicklung. Das beste Einkommen erzielt die Klavier-Lehrkraft, die fähig ist, das alles so zu bedienen, dass sich die Klavierschüler die Klinke in die Hand geben.

Dabei arbeitet sie ohne Vorgesetzten, der Weisungen erteilen könnte, ohne Kollegen, mit denen auszukommen ist, ohne Dienst-Vorschriften, geregelte Arbeitszeiten, Betriebsrat, festem Gehalt, Lohnfortzahlung im Krankheitsfall, sie arbeitet ohne Netz und doppelten Boden. Wie viel Charisma und Geschick kann sie in die Waagschale werfen?

Von ihrer Persönlichkeit hängt alles ab. Setzt sich die private Lehrkraft in freier Wildbahn durch, wachsen ihr Selbstbewusstsein und ihr Mut, ein gutes Honorar zu verlangen, die Bezahlung der Ferien durchzusetzen und Außenstände konsequent einzutreiben.

In der eigenen Wohnung zu unterrichten ist auch deshalb das optimale Geschäftsmodell, weil dann den Einnahmen kaum Ausgaben gegenüberstehen, Arbeitsstätte und Klavier besitzt man bereits, gestimmt werden muss maximal zweimal im Jahr. So lässt sich ein ansehnliches Einkommen erzielen. Wirklich reich werden kann jedoch niemand mit der Erteilung von Klavierunterricht. Klavierunterricht ist eher solides Handwerk, in dem man, neben einem auf dem Klavier klimpernden Menschen sitzend, mit seiner Lebenszeit bezahlt.

Wie oft kann man eigentlich die Honorarsätze anheben? Waren des täglichen Bedarfs und Dienstleistungen werden in schöner Regelmäßgkeit teurer. Der Verbraucher hat gar keine andere Wahl, als mitzumachen. Im Ärger darüber, dass für Straßenbahnfahren schon wieder mehr zu bezahlen ist, die Miete überraschend erhöht wurde oder die Brötchen neuerdings 40 Cent kosten, können Schüler darauf kommen, wenigstens das zu ändern, was sich ändern lässt: der freiwillige Klavierunterricht, zu dem man vielleicht sowieso schon nur noch mit halbem Herzen geht. Eine Honorar-Anhebung liefert dann oft den letzten Anlass für eine Kündigung. Von pauschalen Preiserhöhungen ist deshalb abzuraten, denn eine einzige Kündigung frisst schon ihren Mehrwert.

Viel eleganter und geräuschloser ist es, nur neuen Schülern von Anfang an einen erhöhten Preis abzuverlangen. Man korrigiert einfach im „Merkblatt für den Klavierunterricht“ (siehe Kapitel 42: Vertragsloser Klavierunterricht) alle zwei bis drei Jahre die Honorarsätze nach oben. Schon auf diese Weise erhöht sich kontinuierlich das Einkommen, ohne dass dafür langjährige Schüler vor den Kopf gestoßen werden müssen. Diese sollten allerdings vom aktuellen Merkblatt in Kenntnis gesetzt werden, um sich ihrer Privilegien bewusst zu sein. Neu-Schülern mitzuteilen, dass die „alten“ Schüler noch zu einem günstigeren Preis unterrichtet werden, empfiehlt sich dagegen weniger.

Grundsätzlich sollte man sich finanziell nicht herunterhandeln lassen und von allen Schülern das gleiche Honorar verlangen. Oder gibt es Gründe, davon abzuweichen? Kein Prinzip ohne Ausnahme, die Erfahrung lehrt, dass wirtschaftliche Erwägungen einen dazu bringen können, im Einzelfall über den eigenen Schatten zu springen, damit der Schüler bei der Stange bleibt, zum Beispiel deshalb:

- Ein erwachsener Schüler muss aus Berufsgründen häufig absagen.
- Ein kranker Schüler versäumt mehrer Stunden hintereinander.
- Ein berufstätiger Schüler fährt stets außerhalb der Ferien in Urlaub.
- Ein spezieller Schüler einer Privatschule hat andere Ferienzeiten.
- Ein arbeitsloser Schüler ist glaubhaft gerade sehr knapp bei Kasse.

Auch wenn die Klavier-Lehrkraft das „Merkblatt“ nicht dazu verpflichtet, ist es manchmal angesagt einem Schüler entgegenzukommen durch

... Nachholung einzelner Stunden,
... einen flexiblen Unterrichtstermin,
... eine einmalige Honorar-Kürzung.

Konziliante Gesten dieser Art sollten jedoch die Ausnahme bleiben und nicht das gesamte Preisgefüge ins Wanken bringen.

47. Johann Sebastians Geld-Truhe

Die hehre Kunst und das schnöde Geld

Liebe zur Klaviermusik und künstlerischer Schaffensdrang haben einen Menschen dazu gebracht Klavier zu studieren. Nach Erlangung des Bachelors steht er nun vor der Alternative: Die Kunst bleibt brotlos oder die Kunst bringt was ein. Im zweiten Fall müssen Künstler den resoluten Geschäftsmann und die resolute Geschäftsfrau in sich entdecken.

Kunst und Geld: passt das überhaupt zusammen?

Hier die *hehre*, *zeitlose*, *noble*, *überirdische*	Kunst.
Dort das *schnöde*, *flüchtige*, *banale*, weltliche	Geld.

Das Leben klassischer Komponisten wurde und wird gern überhöht („Aus Beethovens Erdentagen …“), Bertold Brecht nannte das „Einschüchterung durch die Klassizität“. In Wirklichkeit waren die Schöpfer unvergänglicher Werke dem gleichen profanen wirtschaftlichen Druck ausgesetzt wie jeder x-beliebige Musiker des 21. Jahrhunderts. Allein aufs Noten-Schreiben konnte sich keiner von ihnen konzentrieren, die meisten waren parallel gute Geschäftsleute:

Johann Sebastian Bach

hinderte tiefe Frömmigkeit nicht daran, seine Einkünfte als Kantor (100 Taler) aufzubessern, indem er ziemlich oft bei Hochzeiten und Tanzveranstaltungen weltliche Unterhaltungs-Musik fiedelte. Außerdem verdiente er nebenher Geld als Klavierlehrer und war zeitweilig an der Freiberger Silbermine beteiligt; deren Einkünfte hortete er in einer eisernen Truhe mit elf Schlössern, die allesamt sein Familienwappen trugen. Die gewaltige Kiste ist im Bach-Museum in Leipzig zu bewundern.

Wolfgang Amadeus Mozart

wurde zwar arm begraben, schwamm aber zu Lebzeiten in Geld, das er durch genialisch schnell geschriebene Auftrags-Arbeiten einheimste. Nach einer wissenschaftlichen Expertise von 2010 (Team des Salzburger Mozartforschers Günther Bauer: „Mozart: Geld, Ruhm und Ehre“) verdiente Mozart nach heutiger Rechnung rund 12.500 € im Monat. Seine ewigen Geldprobleme lagen am Ausgabeverhalten. So verbrauchte er umgerechnet 2.125 € im Monat allein für Trinkgelage im Freundeskreis. Dass er trotzdem komponieren konnte, zeigt seinen Genius.

Ludwig van Beethoven

kam an die Gulden reicher Wiener Gönner, indem er ihnen seine Werke widmete. Im Begleittext einer Ausstellung der Österreichischen Nationalbank im Jahre 2007 heißt es: „Auch beim Erschließen neuer Einnahmequellen erwies sich Beethoven durchaus als innovativ. Er war einer der ersten, der in die noch junge Anlageform der Aktie investierte. Er arbeitete mit seinem Kapital, indem er sehr geschickt immer wieder Aktien belieh und später auslöste. Als Beethoven mit 57 Jahren starb, hinterließ er etwas mehr als 10.000 Gulden, was heute ungefähr 150.000 € entspricht.

Frédéric Chopin

Chopin pflegte sich in Paris in seinem Salon stets vornehm abzuwenden, wenn eine seiner Klavierschülerinnen mal wieder eine 20-Franc-Goldmünze mit dem Bildnis von Roi Des Français Louis Philippe I auf den Kaminsims legte – ein deftiger Stundensatz, aber es war nun mal très chic bei diesem jungen polnischen Virtuosen Privatunterricht zu nehmen und die ausschließlich der Pariser Hautevolée angehörenden Damen konnten es sich leisten. Ihr Privat-Klavierlehrer pflegte einen dandyhaften Lebensstil mit offener Kutsche, Chauffeur, zahlreichen massgeschneiderten Anzügen in grau, flieder und königsblau und bezog jedes Jahr eine neue luxoriösere Wohnung.

Giuseppe Verdi

Verdi verstand es virtuos unter den Wild-West-Bedingungen des ungezügelten Kapitalismus im 19. Jahrhundert Kunst und Moneten auf einen Nenner zu bringen. In ärmlichen Verhältnissen aufgewachsen, erkannte er frühzeitig den Wert, den Geld für die Unabhängigkeit hat und fasste den Plan, so schnell wie möglich genügend Geld anzuhäufen, um das Leben eines „Gentiluomo" (Gentleman) führen zu können, der nicht mehr arbeiten muss. Dafür schuftete er nach seinen eigenen Worten eine Zeitlang wie ein „Galeerensklave", und da er es zudem wie kein anderer Opern-Komponist verstand seine Singspiele zu vermarkten, erreichte er bereits mit 37 Jahren sein Ziel und konnte sich auf sein Landgut Sant'Agata in der Emilia-Romagna zurückziehen.

Vita brevis, ars aeterna

„Vita brevis, ars aeterna" (Das Leben ist kurz, die Kunst ist ewig), so steht es am Düsseldorfer Kunstmuseum „Ehrenhof". Ein großartiger Satz, aber der Künstler muss auch was zu fressen haben. Die Barockmusik, die Wiener Klassik, die Romantik, die Moderne sind auch immer Geschäft gewesen – manchmal sogar ein gutes. Wer als Privat-Musiklehrer viel Erfolg hat und seinen Reibach macht, muss nicht die Spur eines schlechten Gewissens haben. Qualität in der Kunst (-vermittlung) und gutes Geld verdienen schließen sich nicht aus.

Da die Privat-Lehrkraft frei entscheiden kann, wie viel sie arbeitet, lauert das Risiko immer im Hintergrund, von dem alle Selbstständigen ein Lied singen können: „selbst-ständig“ – die Gefahr, die Grenzen seiner Kraft zu überschreiten. Typisch ist der Selbstständige, der niemals einen Interessenten abweist, obwohl der Stundenplan eigentlich schon voll ist: Es könnte vor den Sommerferien ja wieder jemand abspringen. Und er behält allein aus finanziellen Gründen einen Schüler, obwohl der ihn jede Woche den letzten Nerv kostet. So wird manchmal der Zeitpunkt übersehen, an dem man mal ein bisschen langsamer machen sollte. Ein paar Deadlines helfen die drohende Überarbeitung zu vermeiden.

Eine freiberufliche Lehrkraft sollte konsequent

... frühestens um 09:30 Uhr den ersten Schüler empfangen,
... spätestens um 20:30 Uhr den letzten Schüler entlassen,
... unbedingt jeden Tag 1 Stunde Mittagspause machen,
... höchstens an vier Tagen in der Woche unterrichten,
... nicht in den Schulferien und an Feiertagen arbeiten,
... Anfragen in Ferien und am Wochenende ignorieren,
... bei stärkerem Krankheitsgefühl allen Schüler absagen.

Nicht immer einfach einzuhalten – aber eine Garantie gegen Burnout!

Zu den geschäftlichen Zielen eines Freiberuflers gehört nicht nur ein gutes Einkommen, sondern auch die finanzielle Absicherung. In erster Linie ist hier die segensreiche Einrichtung der Künstlersozialkasse (KSK) mit Sitz in Wilhelmshaven zu nennen, eine kulturpolitische Errungenschaft, mit der der Staat seit 1983 selbstständige Künstler unterstützt. Die KSK bietet Malern, Bildhauern, Schriftstellern, Musikern und auch Privat-Musiklehrern eine gesetzlich garantierte Kranken-, Pflege- und Rentenversicherung an und kommt für die Hälfte der Beiträge auf, die durch einen Bundeszuschuss und die Abgaben von Verwertern finanziert wird. So genießen die freiberuflichen Kreativen einen ähnlichen sozialen Schutz wie Arbeitnehmer.

Einmal im Jahr fragen die Wilhelmshavener nach den zu erwartenden Einnahmen. Die Angaben, die man hier macht, werden sporadisch überprüft. Gibt man, um die monatliche Belastung zu reduzieren, der Versuchung nach, nicht sein ganzes Einkommen anzugeben, ist das zu kurz gedacht, denn damit fällt auch der staatliche Zuschuss geringer aus und man kriegt später weniger Rente. Genauso wenig wie sich „Schummeln“ beim örtlichen Finanzamt lohnt, da bei einer jederzeit möglichen Überprüfung Nachforderungen seitens der KSK und eine Überprüfung drohen, ob man ein berechtigtes Mitglied der KSK ist. Zeigt eine Prüfung der Einkünfte, dass man Einkünfte hat, die nicht aus Musiker- oder Musiklehrer-Tätigkeiten stammen, werden Mitglieder schon mal aus der KSK geworfen.

48. Blättern in den Kontoauszügen

Hab' ich nicht schon vorige Woche bezahlt?

Die Honorarzahlungen können auf dreierlei Weise erfolgen:

- per Barzahlung
- per Überweisung
- per Dauerauftrag

Barzahlung

Manche Leute wollen unbedingt bar bezahlen und man hört die tollsten Begründungen, warum es mit der Überweisung oder dem Dauerauftrag mal wieder nicht geklappt hat. Stets ist die Bank schuld. Also gibt man eines Tages auf und lässt sich fortan in bar bezahlen. Manchmal wollen einem Schüler zwischen Tür und Angel auf die Schnelle Geld zustecken, zum Beispiel wenn bereits der nächste Schüler vor der Türe steht oder wenn sie einen auf der Straße treffen.

Dieses Geld sollte man auf keinen Fall annehmen, denn es gibt bei Barzahlung die eherne Regel: Niemals, wirklich niemals sollte man Geld kassieren, wenn nicht Zeit und Gelegenheit dafür ist, eine Quittung zu schreiben – das erspart viele Missverständnisse. Eine Quittung macht allerdings nur Sinn, wenn sie, mit Kugelschreiber geschrieben, folgende Angaben enthält:

- erhaltener Betrag
- Buchungs-Monat
- Quittungs-Datum
- Unterschrift des Empfängers

Wohin notiert man die Quittung? Ein vorgedruckter Quittungs-Block mit einzelnen Blättern ist dafür nicht geeignet, denn er liefert keinen Überblick über bisher geleistete Zahlungen. Den garantiert bei Erwachsenen ein DIN-A-4-Bogen aus Karton, der hinten in ihren Noten liegt. Wenn dann ein Schüler sagt „Sind Sie sicher, dass ich Ihnen das Geld nicht schon vorige Woche gegeben habe?“, lässt sich das ganz schnell mit einem Blick auf das Quittungs-Blatt nachprüfen. Bei Kindern und Jugendlichen werden die Quittungen ins Aufgabenheft eingetragen.

Überweisung

Einige Schüler haben etwas gegen Daueraufträge und nehmen Monat für Monat Einzel-Überweisungen vor. Der Kontoauszug lässt zwar keinen Zweifel daran, ob ein Schüler überwiesen hat oder nicht, aber bei Einzel-Überweisungen gibt es drei Fallstricke:

- Ein Schüler überweist ohne Monatsangabe mal am 5., mal am 10., dann wieder am 22. eines Monats; ist seine Zahlung vom 22. nun für den abgelaufenen oder den kommenden Monat?

- Ein Schüler überweist zwar wie vereinbart am Ende eines Monats, gibt aber auf dem Überweisungsträger an, dass die Überweisung für den kommenden Unterrichts-Monat sei.

- Ein Schüler hat gekündigt, überweist jedoch im Glauben, seine Überweisung am Ende des vorletzten Monats sei eine Vorauszahlung gewesen, den letzten Monat nicht mehr.

Einen vollständigen Überblick, ob alle Schüler das Honorar für den abgelaufenen Unterrichts-Monat überwiesen haben, erhält man nur, wenn man alle vier Wochen den Monatsabschluss macht. Dafür nimmt man sich die Kontoauszüge der Bankverbindungen (mindestens zwei!) vor und hakt in der Schüler-Liste die eingegangenen Zahlungen ab. Das nimmt ungefähr eine Stunde in Anspruch, denn zwei bis drei Schüler müssen immer angemahnt werden – stets sind es die gleichen Pappenheimer.

Dauerauftrag

Ein Dauerauftrag ist der Königsweg der Honorar-Übermittlung:

- Das Geld kommt genau wie beim Gehalt eines fest Angestellten immer zuverlässig zum gleichen Datum.
- Der fixe Zeitpunkt macht eine Überprüfung leichter und das Konto ist zu Monatsanfang immer gedeckt.
- Die Schüler können die Honorar-Zahlung für einen zurückliegenden Unterrichtsmonat niemals vergessen.
- Die immer wieder aufkommende Diskussion über die Durchbezahlung der Ferien entfällt dabei.

49. Alle Schüler im Stundenplan
Kurzurlaub nach vier intensiven Tagen

Die Klavier-Lehrkraft hat in ihrem Stundenplan an jeden Tag die Schüler eingetragen. Der Stundenplan steht für alle Schüler gut einsehbar in einem Buchständer neben dem Klavier. Darin können alle Schüler, ob groß oder klein, ihren Namen lesen. Möchte ein Schüler an einem anderen Wochentag zum Unterricht kommen, geht die Lehrkraft zusammen mit ihm den Stundenplan durch, um einen passenden Termin zu finden.

Da die Schüler den Stundenplan direkt vor Augen haben, erkennen sie:

- Eine Verschiebung des Unterrichts-Termins ist wegen des vollen Stundenplans der Lehrkraft nicht so einfach möglich.
- Für die Nachholung von Stunden, die vom Schüler abgesagt wurden, fehlt der Lehrkraft in den meisten Fällen die Zeit.
- Angesichts der engen Taktung der Klavierstunden sollte jeder Schüler stets pünktlich zum Unterricht erscheinen.
- Im Stundenplan sind kaum Lücken zu sehen. Die Lehrkraft ist, weil fast komplett ausgebucht, offensichtlich gefragt.

Wegen der berufstätigen, erwachsenen Schüler, die erst um 18:00, 19:00 oder gar um 20:00 Uhr kommen, sind die Arbeitstage einer Klavier-Lehrkraft lang und dauern mit kleinen Auszeiten tagsüber schon mal von 09:00 Uhr bis 21:00 Uhr. In den Auszeiten kommt sie aber nie wirklich zur Ruhe, da sie dann oft mit Schülern telefonieren muss. Die richtige Entspannung tritt erst ein, wenn abends der letzte Schüler gegangen ist.

Was die Arbeitsbelastung angeht, ist das Empfinden von Privat-Musiklehrern sicher unterschiedlich. Freiberufler haben es selbst in der Hand wie ihr Stundenplan aussieht, also an wie vielen Tagen in der Woche sie wie viel Stunden arbeiten. Wegen ihrer langen Arbeitstage sollten Privat-Klavierlehrer deshalb eine 4-Tage- Woche in Betracht ziehen, vielleicht sogar eine stark komprimierte 3-Tage-Woche, denn eine Regenerationsphase von drei oder gar vier Tagen hat die entspannende Wirkung eines Kurzurlaubs, in dem man jede Woche einmal vollends „abschalten“ kann, was wieder Kraft gibt für einen bedingungslosen Einsatz im nächsten Arbeits-Block.

Die Belastung eines privaten Klavierlehrers ist nicht zu unterschätzen. Dies bezieht sich nicht nur auf die Stundenzahl, sondern auch auf die seelische Beanspruchung, denn der Karriere-Erfolg hängt größtenteils davon ab, dass er den Job nicht einfach nebenher erledigt, sondern beim Unterrichten seine komplette Persönlichkeit einbringt, weil nicht wenigen Schülern das persönliche Verhältnis zur Lehrkraft mindestens genauso wichtig ist wie das Klavierspielen.

Im Klavierunterricht steht der Schüler einmal in der Woche absolut im Mittelpunkt und daraus folgt, dass die stets zugewandte Lehrkraft eine gewisse Verantwortung für ihn trägt. Beim Durchgehen der Namen auf dem Stundenplan sieht man sie vor sich auf der Klavierbank sitzen: kleine Kinder, die auf rührende Weise Vertrauen gefasst haben, pubertierende Jugendliche, die jede Gelegenheit nutzen, ihren Frust über Eltern und Schule abzulassen, Erwachsene, denen es wichtig ist ihre Befindlichkeit zu schildern – für alle hat die Privat-Lehrkraft ein offenes Ohr, ganz gleich, ob der Schüler Klavier spielt oder sein Herz ausschüttet.

Für diese Empathie braucht sich eine philanthropische Lehrkraft nicht zu verbiegen, da für sie jeder Mensch, der zu ihr kommt, in der vertraulichen Atmosphäre des Unterrichts etwas Liebenswertes an sich hat. Anstrengend ist es trotzdem, sich Tag für Tag viele Stunden ganz zurückzunehmen und auf sein Gegenüber einzustellen. Manchmal ist die Belastung auch zu stark und man macht sich Gedanken, ob man einem Schüler von Lehrerseite aus kündigen soll. Dafür kann es zwei ernsthafte Gründe geben:

- Die Chemie zwischen Lehrer und Schüler stimmt einfach nicht, obwohl man sich lange bemüht hat.
- Die Zahlungsmoral des Schülers ist jeden Monat miserabel. Man muss ihm regelmäßig hinterherlaufen.

Manchmal läuft es schlichtweg nicht rund, der Schüler hat keine Lust zu üben, lacht niemals über die Witzchen der Lehrkraft, ist stets unzufrieden mit der Auswahl neuer Klavierstücke. Immer wieder kommt es zu kleinen Missverständnissen, die Stimmung ist disharmonisch – die beiden sprechen einfach nicht die gleiche Sprache. Besteht auch nach längeren Anstrengungen vonseiten der Lehrkraft keine Hoffnung, dass sich die Situation noch einmal aufhellt, wird es für die Lehrkraft immer anstrengender und die Unterrichtsstunden kosten viel Kraft.

Eine arrivierte Lehrkraft empfindet so einen Fall als Niederlage, ist sie es doch gewohnt, die Herzen aller Schüler zu erreichen. Es kommt vor, dass man sich in Einzelfälle richtig hereinsteigert, die Gedanken an den einen Schüler werden zur Obsession und man verspürt Beklemmung vor der nächsten Unterrichtsstunde mit ihm – ein Setting, gegen das man auch nach langer Zeit des Unterrichtens nicht gefeit ist, die Erfahrung vieler Jahre bietet davor keinen Schutz.

Gerade wenn man als Selbstständiger viel Erfolg hat, weil man die spezielle Sensibilität besitzt sich auf jeden Schüler gut einzustellen, ist man verwundbar. Macht der Schüler keinerlei Anstalten von sich aus zu gehen, ist eine Kündigung von Lehrerseite aus angesagt; man muss halt akzeptieren, dass es bisweilen zwischenmenschliche Konstellationen gibt, in denen zwei Menschen einfach nicht zusammenpassen und alles, was man versucht, ins Leere läuft.

Zum Ausgleich sollte man sich von möglichst vielen Bekannten und Freunden berichten lassen, wie es auf deren Arbeitsplatz zugeht. Kommen zum Beispiel in einem Großraumbüro alle Leute immer mit allen Leuten gut aus? Die Antwort liegt auf der Hand: Nichts ist normaler, als nicht mit allen Menschen rundum auf einer Wellenlänge zu liegen, wenn es nicht passt, dann passt es eben nicht. In solch einem Fall ist jegliche Schuldfrage unangebracht und müßig sich den Kopf darüber zu zerbrechen, ob man vielleicht etwas falsch gemacht hat – der Schüler trägt keine Schuld und die Lehrkraft auch nicht.

Ein weiterer nachvollziehbarer Grund für eine Kündigung von Lehrerseite ist wie gesagt die dauerhaft miserable Zahlungsmoral eines Schülers. Ein, zwei Zahlungserinnerungen sind noch kein Problem und gehören zum Alltagsgeschäft einer Ich-AG, jeder kann mal eine Überweisung vergessen. Muss man aber einen Schüler buchstäblich jeden Monat daran erinnern, dass er mit seinen Überweisungen im Rückstand ist, kostet das allerhand Nerven. Dazu kommt der Zeitaufwand, denn bei solchen Schülern heißt es ständig dranzubleiben, weil man in kurzen Zeitabständen immer wieder überprüfen muss, ob er jetzt endlich überwiesen hat – sind nämlich zwei bis drei Monate aufgelaufen, wird die ausstehende Summe immer höher und die Wahrscheinlichkeit schrumpft, dass man noch an sein Geld kommt.

Sämtlichen Beteuerungen des Schülers zum Trotz kann man davon ausgehen, dass ein Schüler, der das Honorar mehr als dreimal „vergessen" hat, stets ein Schüler bleiben wird, dem man auch in Zukunft immer wieder hinterherlaufen wird. Es bedarf sorgfältiger Abwägung, ob man sich das noch weiter antun will oder sich ein Herz fasst und dem Schüler kündigt – wobei für diese Entscheidung nicht zuletzt der aktuelle Schülerstand eine Rolle spielen wird.

50. Urlaub vom Klavierunterricht

Die Aussicht auf die Ferien verleiht Flügel

Geht man in der Probestunde mit dem Schüler das „Merkblatt für den Klavierunterricht“ durch, löst der Satz „Das vereinbarte Honorar ist 12 Monate im Jahr zu zahlen“ oft Befremden aus. Dem kann die Lehrkraft entgegentreten

... mit dem Hinweis auf die örtliche Musikschule, bei der die Durchbezahlung der Schulferien Standard ist;

... mit dem Hinweis, dass kein schriftlicher Vertrag abgeschlossen wird, was es dem Schüler ermöglicht, Monat für Monat zu kündigen;

... mit dem Hinweis auf einen Stundensatz, der auf das Jahr gerechnet für eine studierte Lehrkraft angemessen ist.

Geht die Privat-Lehrkraft schon ab der Probestunde so intensiv auf den Schüler ein, dass ihm in den folgenden Wochen eine Kündigung gar nicht in den Sinn kommt, spielt die Frage nach der Durchbezahlung keine Rolle mehr. Also ist die Lehrkraft gefordert, jeden „Kunden“ von Anfang an zu überzeugen. Mit hohem persönlichen Einsatz täglich so zu arbeiten, dass die Schüler, die ja jederzeit von der Fahne gehen können, auch ohne schriftlichen Vertrag bei der Stange bleiben, ist eine großartig fordernde Aufgabe. Aber diese tägliche Anstrengung fordert ihren Preis: Am Ende der sieben, zehn oder gar zwölf Unterrichtswochen spürt man deutlich, dass man ausgelaugt ist und unbedingt eine Pause braucht.

Erst die Perspektive, dass die Arbeitstage durch die zu erwartenden Ferien weniger werden, verleiht die nötige Energie, jeden Tag trotz Erschöpfung sein Bestes zu geben. Im Laufe der Jahre stellen sich Geist und Körper auf den Rhythmus hochengagiertes Arbeiten und Ferien ein. Welch intensive Formen das annehmen kann, grenzt bisweilen an Magie. Ein typisches Beispiel dafür ist die immer wieder gemachte Erfahrung, dass Erkältungen grundsätzlich erst am Abend des letzten Arbeitstages, vor dem Wochenende oder vor den Ferien ausbrechen. Das Straucheln auf einer Treppe, die man wochenlang anstandslos passiert hat, passiert erfahrungsgemäß in den ersten Ferientagen. Die davongetragene Blessur ist aber am Ende der Ferien garantiert ausgeheilt.

Es wird ein paar Jahre brauchen, bis man an dem Standort, in dem man unterrichtet, derart etabliert ist, dass man es sich leisten kann, in allen Schulferien nicht mehr zu arbeiten (bei Durchbezahlung!) Startet man an einem Ort neu, ist am

Anfang in Sachen Ferien vielleicht noch etwas Flexibilität nötig. So beginnt man zum Beispiel erst einmal mit nur vier Wochen Sommerferien statt sechseinhalb und mit Sonderregelungen für Erwachsene. Nach und nach erreicht man aber die Akzeptanz des Satzes „Das vereinbarte Honorar ist 12 Monate im Jahr zu zahlen".

Eines ist sicher: Die Ferien tun allen gut, den Schülern, die ein bisschen Abstand bekommen, und der erfolgreichen Privat-Lehrkraft, die dafür in den Arbeitswochen wieder Tag für Tag alles gibt.